周南一之一

周國名。南南方諸侯之國也。周國本在禹貢雍州境內岐山之陽后稷十二世孫古公亶父始居其地傳子王季歷至孫文王昌辟國寖廣於是徙都于豐而分岐周故地以爲周公旦召公奭之采邑且使周公爲政於國中而召公宣布於諸侯於是德化大成於內而南方諸侯之國江沱汝漢之間莫不從化蓋三分天下而有其二焉至子武王發又遷于鎬遂克商而有天下武王崩子成王誦立周公相之制作禮樂乃采文王之世風化所及民俗之詩被之筦弦以爲房中之樂而又推之以及於鄉黨邦國所以著明先王風俗之盛而使天下後

世之脩身齊家治國平天下者皆得以取法焉蓋其得之國中者雜以南國之詩而謂之周南言自天子之國而被於諸侯不但國中而已也其得之南國者則直謂之召南言自方伯之國被於南方而不敢以繫于天子也岐周在今鳳翔府岐山縣豐在今京兆府鄠縣終南山北南方之國即今興元府京西湖北等路諸州鎬在豐東二十五里小序曰關雎麟趾之化王者之風故繫之周公南言化自北而南也鵲巢騶虞之德諸侯之風也先王之所以教故繫之召公斯言得之矣

【音釋】雍於用反　辟蒲亦反　召實照反　蘩音適　采倉代反又此宰反　鎬胡老反　筦古滿反　鄠侯古反

關關雎七余反**鳩在河之洲窈**烏了反**窕**徒了反**淑女君子好逑**音求

興也關關雌雄相應之和聲也雎鳩水鳥一名王雎狀類鳧鷖今江淮間有之生有定偶而不相亂偶常並遊而不相狎故毛傳以爲摯而有別列女傳以爲人未嘗見其乘居而匹處者蓋其性然也河北方流水之通名洲水中可居之地也窈窕幽閒之意淑善也女者未嫁之稱蓋指文王之妃大姒爲處子時而言也君子則指文王也好亦善也逑匹也毛傳云摯字與至通言其情意深至也○興者先言他物以引起所詠之詞也周之文王生有聖德又得聖女姒氏以爲之配宮中之人於其始至見其有幽閒貞靜之德故作是

詩言彼關關然之雎鳩則相與和鳴於河洲之上矣此窈窕之淑女則豈非君子之善匹乎言其相與和樂而恭敬亦若雎鳩之情摯而有別也後凡言興者其文意皆放此云漢匡衡曰窈窕淑女君子好逑言能致其貞淑不貳其操情欲之感無介乎容儀宴私之意不形乎動靜夫然後可以配至尊而爲宗廟主此綱紀之首王化之端也可謂善說詩矣

音釋 之別必列反乘食證反閒音閑太姒有莘國之女地理考異只故莘城在汴州陳留縣東北三十五里

處昌與反

○參初金反差初宜反荇行猛反菜左右流之窈窕淑女寤寐求之求之不得寤寐思服叶蒲北反悠哉悠哉輾哲善反轉反側

興也參差長短不齊之貌荇接余也根生水底莖如釵股上青下白葉紫赤圓徑寸餘浮在水面或左或右言無方也流順水之流而取之也或寤或寐言無時也服猶懷也悠長也輾者轉之半轉者輾之周反者輾之過側者轉之留皆卧不安席之意○此章本其未得而言彼參差之荇菜則當左右無方以流之矣此窈窕之淑女則當寤寐不忘以求之矣蓋此人此德世不常有求之不得則無以配君子而成其內治之美故其憂思之深不能自已至於如此也

○參差荇菜左右采之叶此禮反窈窕淑女

琴瑟友之。友叶羽已反參差荇菜。左右芼之。芼莫報反叶音邈窈窕淑女。鐘鼓樂之。樂音洛

興也。采。取而擇之也。芼。熟而薦之也。琴。五弦或七弦。瑟。二十五弦。皆絲屬。樂之小者也。友者。親愛之意也。鐘。金屬。鼓。革屬。樂之大者也。樂則和平之極也。○此章據今始得而言。彼參差之荇菜。既得之。則當采擇而亨芼之矣。此窈窕之淑女。既得之。則當親愛而娛樂之矣。蓋此人此德。世不常有。幸而得之。則有以配君子而成內治。故其喜樂尊奉之意不能自已。又如此云。亨音普庚反

關雎三章。一章四句。二章章八句

孔子曰。關雎樂而不淫。哀而不傷。愚謂此言為此詩者得其性情之正。聲氣之和也。蓋德如雎鳩。摯而有別。則后妃性情之正。固可以見其一端矣。至於寤寐反側。琴瑟鐘鼓。極其哀樂而皆不過其則焉。則詩人性情之正。又可以見其全體也。獨其聲氣之和。有不可得而聞者。雖若可恨。然學者姑即其詞而玩其理以養心焉。則亦可以得學詩之本矣。○匡衡曰。妃匹之際。生民之始。萬福之原。婚姻之禮正。然後品物遂而天命全。孔子論詩以關雎為始。言太上者民之父母。后夫人之行不侔乎天地。則無以奉神靈之統。而理萬物之宜。自上世以來

三代興廢未有不由此者也

葛之覃兮。施以豉反于中谷。維葉萋萋。黃鳥于飛。集于灌木。其鳴喈喈。叶居奚反

賦也。葛草名。蔓生可為絺綌者。覃延。施移也。中谷谷中也。萋萋盛貌。黃鳥鸝也。灌木叢木也。喈喈和聲之遠聞也。○賦者敷陳其事而直言之者也。蓋后妃既成絺綌而賦其事。追叙初夏之時葛葉方盛而有黃鳥鳴於其上也。後凡言賦者放此。

○葛之覃兮。施于中谷。維葉莫莫。是刈魚廢反是濩。胡郭反為絺恥知反為綌。去逆反叶去略反服之

無斁。音亦叶弋灼反

賦也。莫莫茂密貌。刈斬。濩煑也。精曰絺。麤曰綌。斁厭也。○此言盛夏之時葛既成矣。於是治以為布而服之無厭。蓋親執其勞而知其成之不易。所以心誠愛之雖極垢弊而不忍厭棄也。【音釋】厭於驗反。垢古后反

○言告師氏。言告言歸。薄污我私。薄澣戶管反我衣。害戶葛反澣害否。方九反歸寧父母莫後反

賦也。言辭也。師女師也。薄猶少也。污煩撋之以去其污。猶治亂而曰亂也。澣則濯之而已。

私。燕服也。衣。禮服也。害。何也。寧。安也。謂問安也。○上章既成絺綌之服矣。此章遂告其師氏。使告于君子以將歸寧之意。且曰盍治其私服之汚。而澣其禮服之衣乎。何者當澣。而何者可以未澣乎。我將服之以歸寧於父母矣。【音釋】毛氏。女師教以婦德婦言婦容婦功。師。姆。婦人五十無子出而不復嫁。能以婦道教人者。女出嫁。姆隨之。撋。而專反。煩撋。猶挼莎也。挼。奴禾反。莎。素禾反。去。丘呂反。

葛覃三章章六句

此詩后妃所自作。故無贊美之詞。然於此可以見其已貴而能勤。已富而能儉。已長而敬不弛於師傅。已嫁而孝不衰於父母。是皆德之厚而人所難也。小序

以爲后妃之本。庶幾近之。

采采卷耳^上聲^。不盈頃筐^音傾^。嗟我懷人。寘彼周行^叶戶郎反^。

賦也。采。采。非一采也。卷耳。枲耳。葉如鼠耳。叢生如盤。頃。欹也。筐。竹器。懷。思也。人。蓋謂文王也。寘。舍也。周行。大道也。○后妃以君子不在而思念之。故賦此詩。託言方采卷耳。未滿頃筐而心適念其君子。故不能復采而寘之大道之旁也。【音釋】枲。思禮反。據本草即今蒼耳。今人麴蘗中多用之。舍。音捨。復。扶又反。

陟彼崔^徂回反^嵬^五回反^。我馬虺^呼回反^隤^音頹^。我

姑酌彼金罍。維以不永懷。叶胡隈反

賦也。陟，升也。崔嵬，土山之戴石者。虺隤，馬罷不能升高之病。姑，且也。罍，酒器。刻爲雲雷之象，以黃金飾之。永，長也。○此又託言欲登此崔嵬之山，以望所懷之人而往從之，則馬罷病而不能進，於是且酌金罍之酒，而欲其不至於長以爲念也。

【音釋】罷音皮。崔嵬，土山戴石。砠，石山戴土。此從毛氏。爾雅，石戴土謂之崔嵬，土戴石爲砠。二說正相反。愚恐從爾雅爲是。蓋崔嵬字上從山，砠字傍從石，有在上在外之意。

○陟彼高岡。我馬玄黃。我姑酌彼兕序姊反觥。古橫反，叶古黃反維以不永傷。

賦也。山脊曰岡。玄黃，玄馬而黃，病極而變色也。兕，野牛，一角，青色，重千斤。觥，爵也。以兕角爲爵也。

○陟彼砠七餘反矣。我馬瘏音塗矣。我僕痡音敷矣。云何吁矣。

賦也。石山戴土曰砠。瘏，馬病不能進也。痡，人病不能行也。吁，憂歎也。爾雅注引此作盱，張目望遠也。詳見何人斯篇。

卷耳四章，章四句。

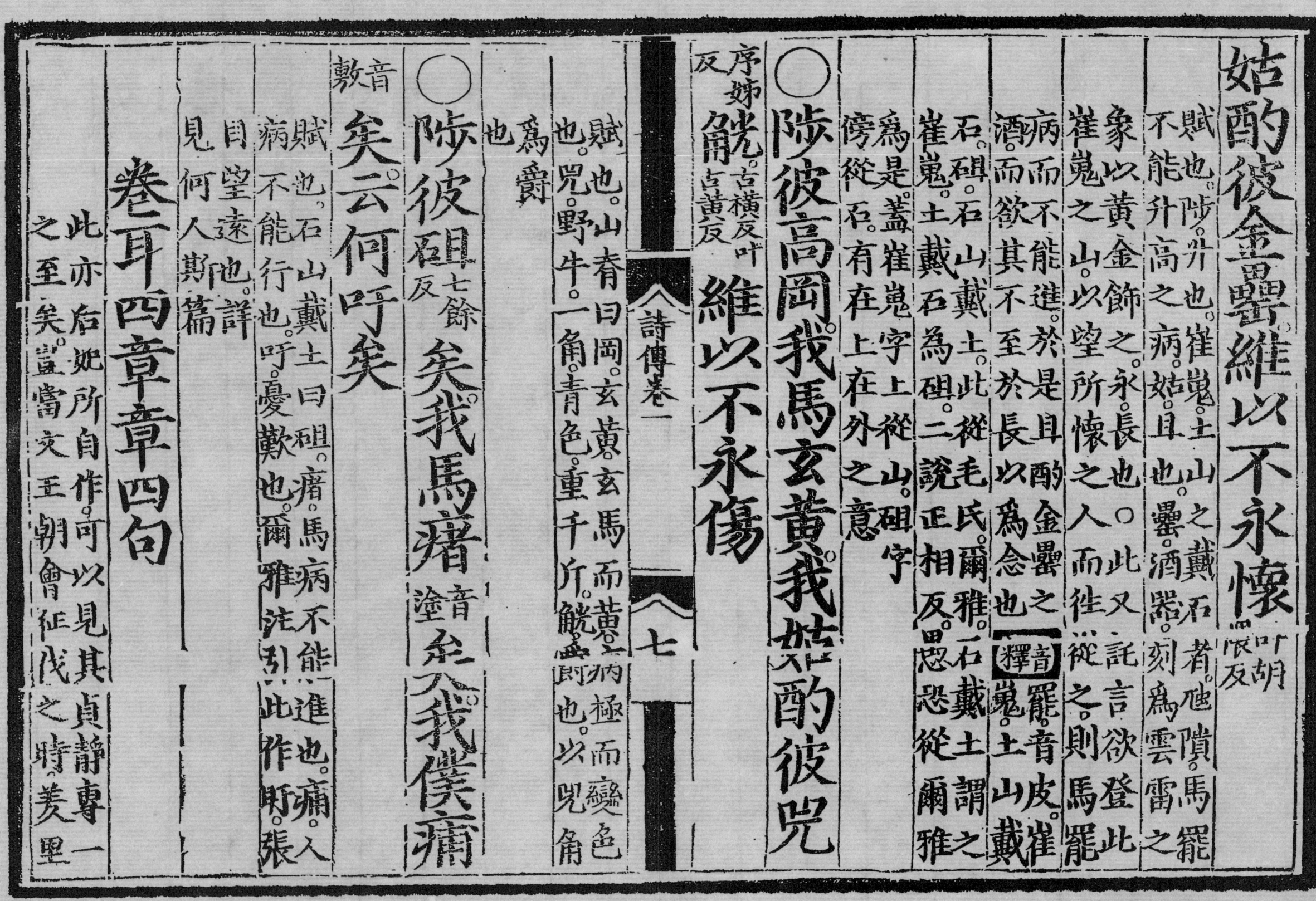

此亦后妃所自作，可以見其貞靜專一之至矣。豈當文王朝會征伐之時，羑里

拘幽之日而作歟。然不可考矣。【音釋】羑，與九反。

南有樛居虯反木，葛藟力軌反纍力追反之。樂音洛只之氏反君子，福履綏之。

興也。南，南山也。木下曲曰樛。藟，葛類。纍，猶繫也。只，語助辭。君子，自衆妾而指后妃，猶言小君，內子也。履，祿。綏，安也。○后妃能逮下而無嫉妬之心，故衆妾樂其德而稱願之曰：南有樛木，則葛藟纍之矣；樂只君子，則福履綏之矣。

○南有樛木，葛藟荒之。樂只君子，福履將之。

興也。荒，奄也。將，猶扶助也。【音釋】奄，衣檢反。詩記：荒，芘覆也。

○南有樛木，葛藟縈烏營反之。樂只君子，福履成之。

興也。縈，旋。成，就也。

樛木三章，章四句。

螽音終斯羽，詵詵所巾反兮。宜爾子孫，振振音真兮。

比也。螽斯，蝗屬，長而青，長角長股，能以股相切作聲，一生九十九子。詵詵，和集貌。爾，指螽

斯也。振振，盛貌。○比者，以彼物比此物也。后妃不妒忌而子孫衆多，故衆妾以螽斯之羣處和集而子孫衆多比之，言其有是德而宜有是福也。後凡言比者放此。〔音釋〕處，昌呂反

○螽斯羽，薨薨兮。宜爾子孫，繩繩兮。

比也。薨薨，羣飛聲。繩繩，不絶貌。

○螽斯羽，揖揖（側立反）兮。宜爾子孫，蟄蟄（直立反）兮。

比也。揖揖，會聚也。蟄蟄，亦多意。

螽斯三章，章四句。

桃之夭夭（於驕反），灼灼其華（芳無呼瓜二反）。之子于歸，宜其室家（古胡古牙二反）。

興也。桃，木名，華紅，實可食。夭夭，少好之貌。灼灼，華之盛也。木少則華盛。之子，是子也。此指嫁者而言也。婦人謂嫁曰歸。周禮仲春令會男女，然則桃之有華，正婚姻之時。宜者，和順之意。室，謂夫婦所居；家，謂一門之內。○文王之化，自家而國，男女以正，婚姻以時，故詩人因所見以起興，而歎其女子之賢，知其必有以宜其室家也。〔音釋〕少，詩照反。地官媒氏：仲春之月，令會男女，若無故而不用令者罰之。註：仲春，陰陽交，以成婚禮，順天時。故謂喪禍之變。有喪禍者，娶得用非仲春之月。疏：喪禍之故，月數滿，雖非仲春，可以嫁娶。

○桃之夭夭。有蕡（浮雲反）其實。之子于歸。宜其家室。

興也。蕡。實之盛也。家室。猶室家也。

○桃之夭夭。其葉蓁蓁（側巾反）。之子于歸。宜其家人。

興也。蓁蓁。葉之盛也。家人。一家之人也。

桃夭三章章四句

肅肅兔罝（子斜反又子余反與夫叶）。椓之丁丁（陟耕反）。赳赳

武夫。公侯干城。

興也。肅肅。整飭貌。罝。罟也。丁丁。椓杙聲也。赳赳。武貌。干。盾也。干城。皆所以扞外而衛內者。○化行俗美。賢才衆多。雖罝兔之野人。而其才之可用猶如此。故詩人因其所事以起興而美之。而文王德化之盛。因可見矣。［音釋］椓。直角反。按說文。椓擊也。然當從手。若從木者。是椓黥之刑。令詩字從木。蓋古字通。杙音弋。橜也。橜其月反。椓杙。謂擊橜於地而張罝其上也。

○肅肅兔罝。施于中逵。赳赳武夫。公侯好仇（叶渠之反）。

宜其室家。[illegible]

桃之夭夭，有蕡其實。之子于歸，宜其家室。[illegible]

桃之夭夭，其葉蓁蓁。之子于歸，宜其家人。[illegible]

桃夭三章，章四句。

兔罝，后妃之化也。[illegible]

肅肅兔罝，椓之丁丁。[illegible]

赳赳武夫，公侯干城。[illegible]

肅肅兔罝，施于中逵。[illegible]

興也。逵九逵之道。仇與逑同。匡衡引關雎亦作仇字。公侯善匹猶曰聖人之耦。則非特干城而已。歎美之辭卩也。下章放此

〇肅肅兔罝。施于中林。赳赳武夫。公侯腹心。

興也。中林林中。腹心同心同德之謂。則又非特好仇而已也

兔罝三章章四句

采采芣音浮苢。音以薄言采叶此禮反之。采采芣苢。薄言有叶羽已反之

賦也。芣苢車前也。大葉長穗。好生道旁。采始求之也。有既得之也。〇化行俗美。家室和平。婦人無事。相與采此芣苢。而賦其事以相樂也。采之未詳何用。或曰其子治產難

音釋

車尺遮反

〇采采芣苢。薄言掇都奪反之。采采芣苢。薄言捋力活反之

賦也。掇拾也。捋取其子也

〇采采芣苢。薄言袺音結之。采采芣苢。薄言襭戶結反之

賦也。袺。以衣貯之而執其衽也。襭。以衣貯之而扱其衽於帶間也。【音釋】貯。展呂反。盛也。
衽。入錦反。衣際。扱。初洽反。與插同

芣苢三章章四句

南有喬木。不可休息。吳氏曰。韓詩作思 漢有游女。
不可求思。漢之廣叶古曠反矣。不可泳叶于誆反思。
江之永叶弋亮反矣。不可方叶甫妄反思。

興而比也。上竦無枝曰喬。思。語辭也。篇內同。
漢水出興元府嶓冢山。至漢陽軍大別山入
江。江漢之俗。其女好遊。漢魏以後猶然。如大
堤之曲可見也。泳。潛行也。江水出永康軍岷
山。東流與漢水合。東北入海。永。長也。方。桴也。
○文王之化。自近而遠。先及於江漢之間。而
有以變其淫亂之俗。故其出游之女。人望見
之。而知其端莊靜一。非復前日之可求矣。因
以喬木起興。江漢爲比。而反復詠歎之也。【音釋】竦。息拱反。桴。方于反。復。方六反

○翹翹祈遙反錯薪。言刈其楚。之子于歸。
言秣其馬叶滿補反。漢之廣矣。不可泳思。江
之永矣。不可方思

興而比也。翹翹。秀起之貌。錯。雜也。楚。木名。荊
屬。之子。指游女也。秣。飼也。○以錯薪起興。而
欲秣其馬。則悅之至。以江漢爲
比。而歎其終不可求。則敬之深。

○翹翹錯（七各）薪。言刈其蔞。（音閭）之子于歸。言秣其駒。（音句）漢之廣矣。不可泳思。江之永矣。不可方思。

興而比也。蔞。蔞蒿也。葉似艾。青白色。長數寸。生水澤中。駒。馬之小者。【音釋】號。蔞蒿。葉似艾。青白色。長數寸。高丈餘。今按長數寸言其葉。高丈餘。言其莖。惟其高丈餘。故可刈以爲薪。傳恐脫高丈餘三字。則於錯薪之義有礙。

漢廣三章章八句

遵彼汝墳。伐其條枚。（莫悲反叶）未見君子。惄（乃歷反）如調（張留反）飢。

賦也。遵。循也。汝水出汝州天息山。逕蔡潁州入淮。墳。大防也。枝曰條。幹曰枚。惄。飢意也。調。一作輖。重也。○汝旁之國。亦先被文王之化者。故婦人喜其君子行役而歸。因記其未歸之時。思望之情如此。而追賦之也。

○遵彼汝墳。伐其條肄。（羊至反）既見君子。不我遐棄。

賦也。斬而復生曰肄。遐。遠也。○伐其枚。而又伐其肄。則踰年矣。至是乃見其君子之歸。而喜其不遠棄我也。

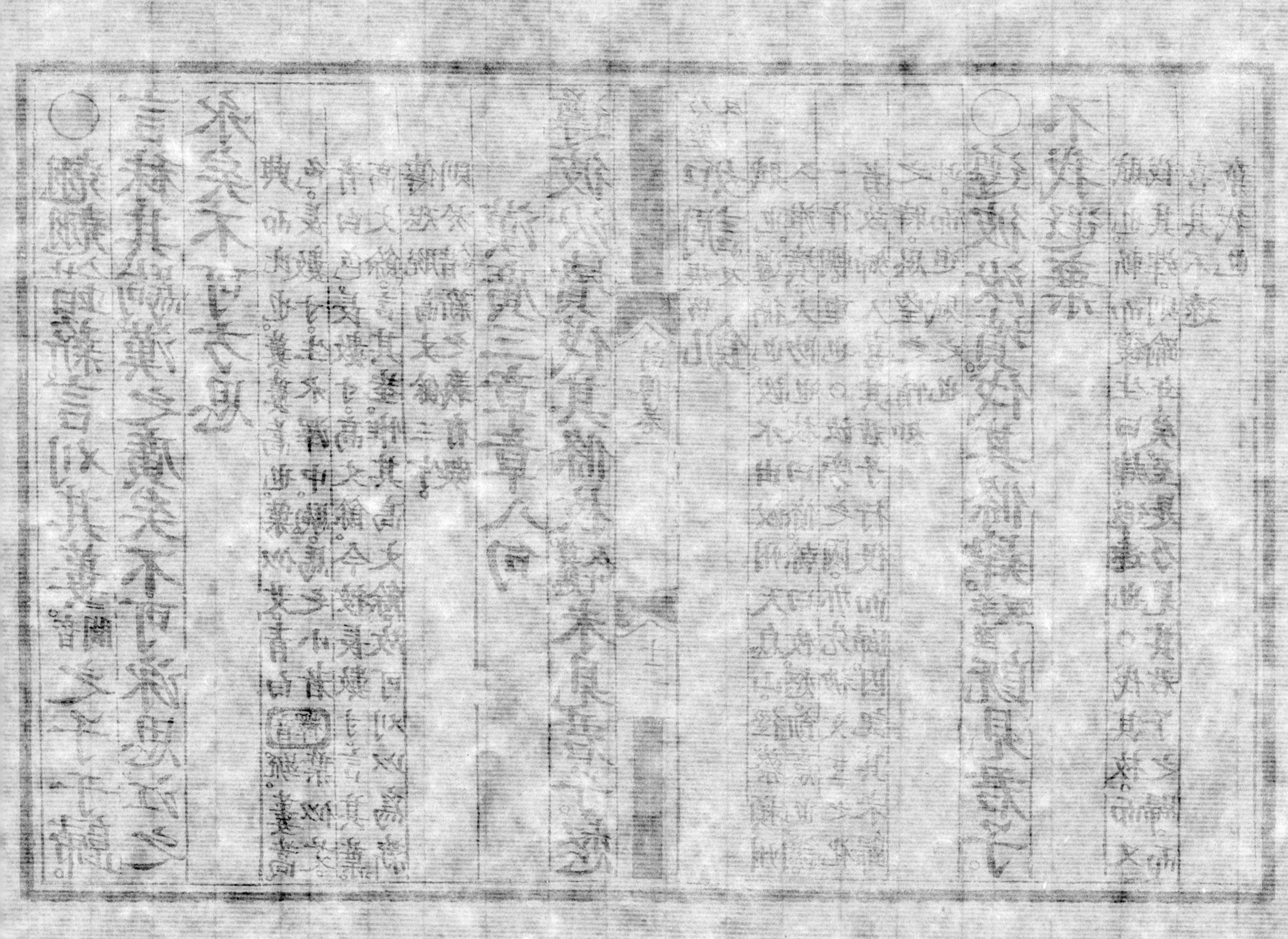

○魴（符方反）魚赬（敕貞反）尾。王室如燬（音毀。下同）。雖則如燬。父母孔邇。

比也。魴。魚名。身廣而薄。少力細鱗。赬。赤也。魚勞則尾赤。魴尾本白而今赤。則勞甚矣。王室。指紂所都也。燬。焚也。父母。指文王也。孔。甚。邇。近也。○是時文王三分天下有其二。而率商之叛國以事紂。故汝墳之人。猶以文王之命供紂之役。其家人見其勤苦而勞之曰。汝之勞既如此。而王室之政方酷烈而未已。雖其酷烈而未已。然文王之德如父母然。望之甚近。亦可以忘其勞矣。此序所謂婦人能閔其君子。猶勉之以正者。蓋曰雖其別離之久。思念之深。而其所以相告語者。猶有尊君親上之意。而無情愛狎昵之私。則其德澤之深。風化之美。皆可見矣。一說。父母甚近。不可以懈於王事而貽其憂。亦通。【音釋】而勞。郎到反。

汝墳三章。章四句。

麟之趾。振振（音真）公子（叶獎里反）。于（音吁）嗟麟兮。

興也。麟。麕身牛尾馬蹄。毛蟲之長也。趾。足也。麟之足不踐生草。不履生蟲。振振。仁厚貌。于嗟。歎辭。○文王后妃德脩于身。而子孫宗族皆化於善。故詩人以麟之趾興公之子。言麟性仁厚。故其趾亦仁厚。文王后妃仁厚。故其子亦仁厚。然言之不足。故又嗟歎之。言是乃麟也。何必麕身牛尾而馬蹄。然後為王者之瑞哉。【音釋】麕。俱倫反。長。知丈反。

○麟之定（都佞反）。振振公姓。于嗟麟兮。

興也。定，額也。麟之額未聞，或曰有額而不以抵也。公姓，公孫也。姓之為言生也。

○麟之角，叶盧谷反振振公族，于嗟麟兮。

興也。麟一角，角端有肉。公族，公同高祖，祖廟未毀，有服之親。

麟之趾三章，章三句。

序以為關雎之應，得之。

周南之國十一篇，三十四章，百五十九句。

按此篇首五詩皆言后妃之德。關雎舉其全體而言也。葛覃、卷耳言其志行之在己。樛木、螽斯美其德惠之及人，皆指其一事而言也。其詞雖主於后妃，然其實則皆所以著明文王身脩家齊之效也。至於桃夭、兔罝、芣苢，則家齊而國治之效。漢廣、汝墳則以南國之詩附焉，而見天下已有可平之漸矣。若麟之趾，則又王者之瑞，有非人力所致而自至者，故復以是終焉。而序者以為關雎之應也。夫其所以至此，后妃之德固不為無所助矣。然妻道無成，則亦豈得而專之哉。今言詩者或乃專美后妃，而不本於文王，其亦誤矣。

召南一之二

召。地名。召公奭之采邑也。舊說扶風雍縣南有召亭即其地今雍縣析爲岐山天興二縣。未知召亭的在何縣。餘已見周南篇。
音釋
雍。於用反。史記正義。召亭在岐山縣西南

維鵲有巢。維鳩居叶姬御反之。之子于歸。百兩如字。又音亮御五嫁反。叶魚據反之。

興也。鵲。鳩。皆鳥名。鵲善爲巢。其巢最爲完固。鳩性拙不能爲巢。或有居鵲之成巢者。之子。指夫人也。兩。一車也。一車兩輪。故謂之兩。御。迎也。諸侯之子嫁於諸侯。送御皆百兩也。○南國諸侯被文王之化。能正心脩身以齊其家。其女子亦被后妃之化。而有專靜純一之德。故嫁於諸侯。而其家人美之曰。維鵲有巢。則鳩來居之。是以之子于歸。而百兩迎之也。此詩之意。猶周南之有關雎也。

○維鵲有巢。維鳩方之。之子于歸。百兩將之。

興也。方。有之也。將。送也。

○維鵲有巢。維鳩盈之。之子于歸。百兩成之。

興也。盈。滿也。謂衆媵姪娣之多。成。成其禮也。
音釋
媵。以證反。娣。特計反。

鵲巢三章章四句

于以采蘩于沼于沚于以用之公侯之事（叶上止反）

賦也。于，於也。蘩，白蒿也。沼，池也。沚，渚也。事，祭事也。○南國被文王之化，諸侯夫人能盡誠敬以奉祭祀，而其家人叙其事以美之也。或曰：蘩所以生蠶，蓋古者后夫人有親蠶之禮。此詩亦猶周南之有葛覃也。

○于以采蘩于澗之中于以用之公侯之宫

賦也。山夾水曰澗。宫，廟也。或曰：即記所謂公桑蠶室也。

○被（皮寄反）之僮僮（音同）夙夜在公被之祁祁薄言還歸

賦也。被，首飾也。編髮爲之。僮僮，竦敬也。夙，早也。公，公所也。祁祁，舒遲貌。去事有儀也。祭義曰：及祭之後，陶陶遂遂，如將復入然，不欲遽去，愛敬之無已也。或曰：公，即所謂公桑也。

音釋 陶音遥。陶陶遂遂，相随行之貌。思念既深，如覩親將復入也。

采蘩三章章四句

喓喓（於遥反）草蟲趯趯（託歷反）阜螽未見君子。

鵲巢三章，章四句。

于以采蘩，于沼于沚。于以用之，公侯之事。叶上止反

賦也。蘩，白蒿也。沼，池也。沚，渚也。事，祭事也。○南國被文王之化，諸侯夫人能盡誠敬以奉祭祀，而家人敘其事以美之也。或曰：蘩，所以生蠶。蓋古者后夫人有親蠶之禮。此詩亦猶周南之有葛覃也。

○于以采蘩，于澗之中。于以用之，公侯之宮。

賦也。山夾水曰澗。宮，廟也。或曰即所謂公桑蠶室也。

○被之僮僮，夙夜在公。被之祁祁，薄言還歸。

賦也。被，首飾也，編髮為之。僮僮，竦敬也。夙，早也。公，公所也。祁祁，舒遲貌，去事有儀也。祭義曰：及祭之後，陶陶遂遂，如將復入然。不欲遽去，愛敬之無已也。或曰：公，即所謂公桑也。

采蘩三章，章四句。

喓喓草蟲，趯趯阜螽。未見君子

憂心忡忡。敕中反亦既見止。亦既覯止。我
心則降。戶江反叶乎攻反
賦也。喓喓聲也。草蟲蝗屬奇音青色。趯趯躍
貌。阜螽蠜也。忡忡猶衝衝也。止語辭。覯遇。降
下也。○南國被文王之化。諸侯大夫行役在
外。其妻獨居感時物之變。而思其君子如此。
亦若周南之卷耳也。
○陟彼南山。言采其蕨。未見君子。憂
心惙惙。張劣反亦既見止。亦既覯止。我心
則說。音悅

賦也。登山蓋託以望君子。蕨虌也。初生
無葉時可食。亦感時物之變也。惙憂貌。音釋蕨虌
也。爾雅作鼈。疏。江西謂之虌。陸璣周秦曰蕨。
齊魯曰虌。釋文。初生似虌腳。故名。虌虌並并
列反
○陟彼南山。言采其薇。未見君子。我
心傷悲。亦既見止。亦既覯止。我心則
夷。
賦也。薇似蕨而差大。有芒而味苦。山間人食
之。謂之迷蕨。胡氏曰。疑即莊子所謂迷陽者。
夷平也。

草蟲三章，章七句。

于以采蘋，南澗之濱。于以采藻，于彼行潦。音老

賦也。蘋，水上浮萍也。江東人謂之薸。濱，厓也。藻，聚藻也。水底。莖如釵股，葉如蓬蒿。行潦，流潦也。○國被文王之化，大夫妻能奉祭祀，而家人叙其事以美之也。

○于以盛之，維筐及筥。居呂反 于以湘之，維錡宜綺反及釜。符甫反

賦也。方曰筐，圓曰筥。湘，烹也。蓋粗熟而淹以為葅也。錡，釜屬，有足曰錡，無足曰釜。○此足以見其循序有常，嚴敬整飭之意。【音釋】粗，祖古反。葅，側魚反。

○于以奠之，宗室牖下。叶後五反 誰其尸之，有齊季女。齊，側皆反

賦也。奠，置也。宗室，大宗之廟也。大夫士祭於宗室。牖下，室西南隅，所謂奧也。尸，主也。齊，敬貌。季，少也。祭祀之禮，主婦主薦豆，實以葅醢。少而能敬，尤見其質之美，而化之所從來者遠矣。【音釋】入宗。按儀禮，別子為祖，繼別為宗，有百世不遷之宗。傳曰：百世不遷者，別子之後也。宗其繼別子者，百世不遷也。註：諸侯之適子適孫，繼世為君，而第二子以下不得禰先君，別於正適，故稱別子也。此別子子孫為卿大夫，立此別子為其後世之始祖。又非君

之親。或是異姓始來此國者。亦謂之別子。別子之世世長子。恒繼別子。與族人爲百世不遷之大宗。族人雖五世外。與之絶族者。皆爲之齊衰三月。適音的。

采蘋三章章四句

蔽芾（非貴反）甘棠。勿翦勿伐。召伯所茇（蒲曷反）

賦也。蔽芾。盛貌。甘棠。杜棃也。白者爲棠。赤者爲杜。翦。翦其枝葉也。伐。伐其條幹也。伯。方伯也。茇。草舍也。○召伯循行南國。以布文王之政。或舍甘棠之下。其後人思其德。故愛其樹而不忍傷也。

蔽芾甘棠。勿翦勿敗（叶蒲寐反）。召伯所憩（起例反）

賦也。敗。折。憩。息也。勿敗。則非特勿伐而已。愛之愈久而愈深也。下章放此。

蔽芾甘棠。勿翦勿拜（叶變制反）。召伯所說（始銳反）

賦也。拜。屈。說。舍也。勿拜。則非特勿敗而已。

甘棠三章章三句

厭（於葉反）浥（於及反）行露。豈不夙夜（叶羊茹反）。謂行多露（叶[illegible]反）

賦也。厭浥，濕意。行，道。夙，早也。○南國之人，遵召伯之教，服文王之化，有以革其前日淫亂之俗。故女子有能以禮自守，而不爲強暴所汚者，自述己志，作此詩以絶其人。言道間之露方濕，我豈不欲早夜而行乎，畏多露之沾濡而不敢爾。蓋以女子早夜獨行，或有強暴侵陵之患，故託以行多露而畏其沾濡也。

○誰謂雀無角，(叶盧谷反)何以穿我屋。誰謂女(音汝)無家，(叶音谷)何以速我獄。雖速我獄，室家不足。

興也。家，謂以媒聘求爲室家之禮也。速，召致也。○貞女之自守如此，然猶或見訟而召致於獄，因自訴而言。人皆謂雀有角，故能穿我屋，以興人皆謂汝於我嘗有求爲室家之禮，故能致我於獄。然不知汝雖能致我於獄，而求爲室家之禮初未嘗備，如雀雖能穿屋而實未嘗有角也。

○誰謂鼠無牙，(叶五紅反)何以穿我墉。誰謂女無家，(叶各空反)何以速我訟。(叶祥容反)雖速我訟，亦不女從。

興也。牙，牡齒也。墉，墻也。○言汝雖能致我於訟，然其求爲室家之禮有所不足，則我亦終不汝從矣。

行露三章一章三句二章章六句

羔羊之皮（叶蒲何反）素絲五紽（徒何反）退食自公。委（於危反）蛇（音移叶唐何反）委蛇

賦也。小曰羔。大曰羊。皮所以爲裘。大夫燕居之服。素。白也。紽。未詳。蓋以絲飾裘之名也。退食。退朝而食於家也。自公。從公門而出也。委蛇。自得之貌。○南國化文王之政。在位皆節儉正直。故詩人美其衣服有常。而從容自得如此也。

○羔羊之革。（叶訖力反）素絲五緎。（音域）委蛇委蛇。自公退食

賦也。革。猶皮也。緎。裘之縫界也。

○羔羊之縫。（符龍反）素絲五總。（子公反）委蛇委蛇。退食自公

賦也。縫。縫皮合之以爲裘也。總。亦未詳。

羔羊三章章四句

殷（音隱）其靁。在南山之陽。何斯違斯。莫敢或遑。振振（音眞）君子。歸哉歸哉

興也。殷，靁聲也。山南曰陽。何斯，斯，此人也。違斯，斯，此所也。遑，暇也。振振，信厚也。○南國被文王之化，婦人以其君子從役在外而思念之，故作此詩，言殷殷然靁聲則在南山之陽矣，何此君子獨去此而不敢少暇乎，於是又美其德，且冀其早畢事而還歸也。

○殷其靁，在南山之側。叶莊力反 何斯違斯。莫敢遑息。振振君子，歸哉歸哉。

興也。息，止也。

○殷其靁，在南山之下。叶後五反 何斯違斯。莫或遑處。尺奠反 振振君子，歸哉歸哉。

興也。

殷其靁三章，章六句

摽婢小反 有梅，其實七兮。求我庶士，迨其吉兮。

賦也。摽，落也。梅，木名，華白，實似杏而酢。庶，衆。迨，及也。吉，吉日也。○南國被文王之化，女子知以貞信自守，懼其嫁不及時，而有强暴之辱也。故言梅落而在樹者少，以見時過而太晚矣。求我之衆士，其必有及此吉日而來者乎。

○摽有梅，其實三兮。叶疏簪反 求我庶士，迨

其今兮

賦也。梅在樹者三，則落者又多矣。今，今日也。蓋不待吉矣。

○摽有梅，頃[音傾]筐墍[許器反]之。求我庶士，迨其謂之。

賦也。墍，取也。頃筐取之，則落之盡矣。謂之，則但相告語而約可定矣。

摽有梅三章，章四句。

嘒[呼惠反]彼小星，三五在東。肅肅宵征，夙夜在公。寔命不同。

興也。嘒，微貌。三五，言其稀，蓋初昏或將旦時也。肅肅，齊遬貌。宵，夜。征，行也。寔，與實同。命，謂天所賦之分也。○南國夫人承后妃之化，能不妒忌以惠其下，故其衆妾美之如此。蓋衆妾進御於君，不敢當夕，見星而往，見星而還，故因所見以起興，其於義無所取，特取在東在公兩字之相應耳。遂言其所以如此者，由其所賦之分不同於貴者，是以深以得御於君為夫人之惠，而不敢致怨於往來之勤也。

音釋　[illegible]側 [illegible]反

○嘒彼小星，維參[所森反]與昴[叶力求反]。肅肅宵征，抱衾與裯[直留反]。寔命不猶。

興也。參、昴，西方二宿之名。衾，被也。裯，禪被也。興亦取與昴與裯二字相應。猶，亦同也。

音釋

禪，音單。

小星二章，章五句。

呂氏曰：夫人無妬忌之行，而賤妾安於其命，所謂上好仁而下必好義者也。

江有汜，音祀，叶羊里反。之子歸，不我以。不我以，其後也悔。叶虎洧反。

興也。水決復入爲汜。今江陵漢陽安復之間蓋多有之。之子，媵妾指嫡妻而言也。婦人謂嫁曰歸。我，媵自我也。能左右之曰以，謂挾已而偕行也。○是時汜水之旁，媵有待年於國，而嫡不與之偕行者。其後嫡被后妃夫人之化，乃能自悔而迎之。故媵見江水之有汜而因以起興。言江猶有汜，而之子之歸，乃不我以。雖不我以，然其後也亦悔矣。

音釋 媵 入之復，扶又反。疏：媵，送也。諸侯之娶，二國媵之。夫人自有姪娣，二國之女亦各有姪娣，故一娶九女。大夫有娣，姪上或娣或姪。

○江有渚，之子歸，不我與。不我與，其後也處。

興也。渚，小洲也。水岐成渚。與，猶以也。處，安也。得其所安也。

○江有沱，徒河反。之子歸，不我過。過，音戈。不我過，其嘯也歌。

興也。沱，江之別者。過，謂過我而與俱也。嘯，蹙口出聲，以舒憤懣之氣，言其悔時也。歌，則得其所處而樂也。

江有汜三章，章五句

陳氏曰：小星之夫人，惠及媵妾，而媵妾盡其心。江沱之嫡，惠不及媵妾，而媵妾不怨。蓋父雖不慈，子不可以不孝，各盡其道而已矣。

野有死麕，（俱倫反，與春叶）白茅包（叶補苟反）之。有女懷春，吉士誘之。

興也。麕，獐也，鹿屬，無角。懷春，當春而有懷也。吉士，猶美士也。○南國被文王之化，女子有貞潔自守，不爲強暴所污者，故詩人因所見以興其事而美之。或曰：賦也。言美士以白茅包其死麕，而誘懷春之女也。

○林有樸（蒲木反）樕，（音速）野有死鹿，白茅純（徒尊反）束，有女如玉。

興也。樸樕，小木也。鹿，獸名，有角。純束，猶包之也。如玉者，美其色也。上三句興下一句也。或曰：賦也。言以樸樕藉死鹿，束以白茅，而誘此如玉之女也。

○舒而脫脫（勑外反）兮，無感我帨（始銳反）兮，無使尨（美邦反）也吠（符廢反）。

[illegible]

江有汜三章，章五句。

陳氏曰：小星之夫人惠及媵妾，而媵妾盡其心；江沱之嫡惠不及媵妾，而媵妾不怨。蓋父雖不慈，子不可以不孝，各盡其道而已矣。

野有死麕，（俱倫反，叶[illegible]春反）白茅包之。（[illegible]）有女懷春，吉士誘之。

興也。麕，獐也，鹿屬，無角。懷春，當春而有懷也。吉士，猶美士也。南國被文王之化，女子有貞潔自守，不為強暴所汙者，故詩人因所見以興其事而美之。或曰：賦也，言美士以白茅包死麕而誘懷春之女也。

○林有樸（補木反）樕，（音速）野有死鹿。白茅純（徒本反）束，有女如玉。

興也。樸樕，小木也。鹿，獸名，有角。純束，猶包之也。如玉者，美其色也。上三句興下一句也。或曰：賦也。言以樸樕藉死鹿，束以白茅，而誘此如玉之女也。

○舒而脫（勑外反）脫兮，無感我帨（始銳反）兮，無使尨（美邦反）也吠。（[illegible]）

賦也。舒。遲緩也。脫脫。舒緩貌。感。動。帨。巾。尨。犬也。○此章乃述女子拒之之辭。言姑徐徐而來。毋動我之帨。毋驚我之犬。以甚言其不能相及也。其凜然不可犯之意蓋可見矣。

野有死麕三章。二章章四句。一章三句。

何彼襛（奴容反。與雝叶）矣。唐棣（徒帝反）之華（芳無胡瓜二反）。曷不肅雝。王姬之車（斤於尺奢二反）。

興也。襛。盛也。猶曰戎戎也。唐棣。移也。似白楊。肅。敬。雝。和也。周王之女姬姓。故曰王姬。○王姬下嫁於諸侯。車服之盛如此。不敢挾貴以驕其夫家。故見其車者。知其能敬且和以執

婦道。於是作詩以美之。曰何彼戎戎而盛乎。乃唐棣之華也。此何不肅肅而敬。雝雝而和乎。乃王姬之車也。此乃武王以後之詩。不可的知其何王之世。然文王太姒之教久而不衰。亦可見矣。

【音釋】移。音移。

○何彼襛矣。華如桃李。平王之孫。齊侯之子（叶獎里反）。

興也。李。木名。華白。實可食。舊說。平。正也。武王女。文王孫。適齊侯之子。或曰。平王。即平王宜臼。齊侯。即襄公諸兒。事見春秋。未知孰是。○以桃李二物興男女二人也。

○其釣維何。維絲伊緡。齊侯之子。平

王之孫叶須倫反

興也。伊，亦維也。緡，綸也。絲之合而爲綸，猶男女之合而爲昏也。

何彼襛矣三章章四句

彼茁側劣反者葭音加，壹發五豝百加反，于音吁嗟乎騶虞叶音牙

賦也。茁，生出壯盛之貌。葭，蘆也，亦名葦。發，發矢。豝，牡豕也。一發五豝，猶言中必疊雙也。騶虞，獸名，白虎黑文，不食生物者也。南國諸侯承文王之化，脩身齊家以治其國，而其仁民之餘恩又有以及於庶類，故其春田之際，草木之茂，禽獸之多，至於如此。而詩人述其事以美之，且歎之曰：此其仁心自然，不由勉強，是即真所謂騶虞矣。

○彼茁者蓬，壹發五豵子公反，于嗟乎騶虞叶五紅反

賦也。蓬，草名。一歲曰豵，亦小豕也。

騶虞二章章三句

文王之化，始於關雎而至於麟趾，則其化之入人者深矣；形於鵲巢而及於騶虞，則其澤之及物者廣矣。蓋意誠心正之功不息而久，則其熏蒸透徹，融液周徧，自有不能已者，非智力之私所能及也。故序以騶虞爲鵲巢之應，而見王道

之成。其必有所傳矣

召南之國四十四篇四十章百七十七句

愚按鵲巢至采蘋。言夫人大夫妻。以見當時國君大夫被文王之化。而能脩身以正其家也。甘棠以下。又見由方伯能布文王之化。而國君能脩之家以及其國也。其詞雖無及於文王者。然文王明德新民之功。至是而其所施者溥矣。抑所謂其民皥皥而不知爲之者歟。唯何彼穠矣之詩爲不可曉。當闕所疑耳。○周南召南二國凡二十五篇。先儒以爲正風。今姑從之。○孔子謂伯魚曰。女爲周南召南矣乎。人而不爲周南召南。其猶正牆面而立也與。○儀禮。鄉飲酒。鄉射。燕禮。皆合樂周南關雎。葛覃。卷耳。召南鵲巢。采蘩。采蘋。燕禮又有房中之樂。鄭氏注曰。絃歌周南召南之詩。而不用鍾磬。云房中者。后夫人之所諷誦以事其君子。○程子曰。天下之治。正家爲先。天下之家正。則天下治矣。二南。正家之道也。陳后妃夫人大夫妻之德。推之士庶人之家一也。故使邦國至於鄉黨皆用之。自朝廷至於委巷。莫不謳吟諷誦。所以風化天下。

詩卷之一

詩卷之二

朱熹集傳

邶一之三

邶鄘衛三國名。在禹貢冀州。西阻太行。北逾衡漳。東南跨河。以及兗州桑土之野。及商之季。而紂都焉。武王克商。分自紂城朝歌而北。謂之邶。南謂之鄘。東謂之衛。以封諸侯。邶鄘不詳其始封。衛則武王弟康叔之國也。衛本都河北。朝歌之東。淇水之北。百泉之南。其後不知何時并得邶鄘之地。至懿公爲狄所滅。戴公東徙渡河。野處漕邑。文公又徙居于楚丘。朝歌故城。在今衛州衛縣西二十里。所謂殷墟。衛故都。即今衛縣。漕楚丘。皆在滑州。大抵今懷衛澶相滑濮等州。開封大名府界。皆衛境也。但邶鄘地既入衛。其詩皆爲衛事。而猶繫其故國之名。則不可曉。而舊說以此下十三國。皆爲變風焉。

音釋　邶，蒲對反。鄘，音容。行，戶剛反。漕，音曹。墟，丘於反。澶，時連反。相，息亮反。濮，博木反。

汎（孚梵反）彼柏舟。亦汎其流。耿耿（古幸反）不寐。如有隱憂。微我無酒。以敖（五羔反）以遊。

比也。汎，流貌。柏，木名。耿耿，小明。憂之貌也。隱，痛也。微，猶非也。○婦人不得於其夫。故以柏舟自比。言以柏爲舟。堅緻牢實。而不以乘載。無所依薄。但汎然於水中而已。故其隱憂之

深如此。非爲無酒可以敖遊而解之也。列女傳以此爲婦人之詩。今考其辭氣卑順柔弱。且居變風之首。而與下篇相類。豈亦莊姜之詩也歟。【音釋】緻直利反。密也。

○我心匪鑒。不可以茹。如預反亦有兄弟。不可以據。薄言往愬。逢彼之怒。

賦也。鑒。鏡。茹。度。據。依。愬。告也。○言我心既匪鑒。而不能度物。雖有兄弟。而又不可依以爲重。故往告之。而反遭其怒也。【音釋】度待洛反。

○我心匪石。不可轉也。我心匪席。不可卷眷勉反也。威儀棣棣。不可選也。

賦也。棣棣。富而閑習之貌。選。簡擇也。○言石可轉。而我心不可轉。席可卷。而我心不可卷。威儀無一不善。又不可得而簡擇取舍。皆自反而無闕之意。

○憂心悄悄。七小反慍于羣小。覯古豆反閔既多。受侮不少。靜言思之。寤辟避亦反有摽。符小反

賦也。悄悄。憂貌。慍。怒意。羣小。衆妾也。言見怒於衆妾也。覯。見。閔。病也。辟。拊心也。摽。拊心貌。

○日居月諸。胡迭待結反而微。心之憂矣。如匪澣戶管反衣。靜言思之。不能奮飛。

比也。居、諸、語辭。迭、更。微、虧也。匪澣衣、謂垢汙不濯之衣。奮飛、如鳥奮翼而飛去也。○言日當常明、月則有時而虧。猶正嫡當尊、衆妾當卑。今衆妾反勝正嫡、是日月更迭而虧。是以憂之至於煩寃憒眊、如衣不澣之衣。恨不能奮起而飛去也。

【音釋】垢、舉后反。憒、古對反。心亂也。眊、莫冒反。目不明貌。

柏舟五章章六句

綠兮衣兮。綠衣黃裏。心之憂矣。曷維其已。

比也。綠、蒼勝黃之間色。黃、中央土之正色。間色賤而以爲衣、正色貴而以爲裏。言皆失其所也。已、止也。○莊公惑於嬖妾、夫人莊姜賢而失位。故作此詩。言綠衣黃裏、以比賤妾尊顯而正嫡幽微。使我憂之不能自已也。

綠兮衣兮。綠衣黃裳。心之憂矣。曷維其亡。

比也。上曰衣、下曰裳。記曰、衣正色、裳間色。今以綠爲衣、而黃者自裏轉而爲裳。其失所益甚矣。亡之爲言忘也。

綠兮絲兮。女音汝所治平聲兮。我思古人。俾無訧音尤叶于其反兮。

比也。女，指其君子而言也。治，謂理而織之也。俾，使。訧，過也。○言綠方爲絲，而女又治之，以比妾方少艾，而女又嬖之也。然則我將如之何哉。亦思古人有嘗遭此而善處之者，以自厲焉，使不至於有過而已。

○絺兮綌兮，淒七西反其以風叶孚愔反。我思古人，實獲我心。

比也。淒，寒風也。○絺綌而遇寒風，猶己之過時而見棄也。故思古人之善處此者，眞能先得我心之所求也。

綠衣四章，章四句

莊姜事見春秋傳。此詩無所考，姑從序說。下三篇同。【音釋】春秋隱公三年左氏傳：衛莊公娶于齊東宮得臣之妹，曰莊姜，美而無子。又嬖於妾而生州吁。莊，從夫諡。姜，姓也。

燕燕于飛，差初宜反池其羽。之子于歸，遠送于野叶上與反。瞻望弗及，泣涕如雨。

興也。燕，鳦也。謂之燕燕者，重言之也。差池，不齊之貌。之子，指戴嬀也。歸，大歸也。○莊姜無子，以陳女戴嬀之子完爲己子。莊公卒，完即位，嬖人之子州吁弑之，故戴嬀大歸于陳，而莊姜送之，作此詩也。【音釋】鳦，烏拔反。左氏傳：莊公又娶于陳，曰厲嬀，生孝伯，早死。其娣戴

媯生完。莊姜以爲已子。公卒完立是爲桓公。隱公四年。州吁弒桓公。故戴媯大歸於陳。𧭿戴。皆謚。媯。陳姓也。媯。居爲反

○燕燕于飛。頡（戶結反）之頏（戶郎反）之。之子于歸。遠于將之。瞻望弗及。佇立以泣。

興也。飛而上曰頡。飛而下曰頏。將。送也。佇立。久立也。

○燕燕于飛。下上（時掌反）其音。之子于歸。遠送于南。（叶尼心反）瞻望弗及。實勞我心。

興也。鳴而上曰上音。鳴而下曰下音。送于南者。陳在衛南。【音釋】上。時掌反。而下字無音。按字書。元在物下之下則上聲。自上而下之下則去聲。凡與自下而上之上對義者。皆當作去聲。

○仲氏任（而今反）只（音紙）。其心塞淵（叶一均反）。終溫且惠。淑慎其身。先君之思。以勗（凶肉反）寡人。

賦也。仲氏。戴媯字也。以恩相信曰任。只。語辭。塞。實。淵。深。終。竟。溫。和。惠。順。淑。善也。先君。謂莊公也。勗。勉也。寡人。寡德之人。莊姜自稱也。○言戴媯之賢如此。又以先君之思勉我。使我常念之而不失其守也。楊氏曰。州吁之暴。桓公之死。戴媯之去。皆夫人失位不見答於先

君所致也。而戴嬀猶以先君之思勉其夫人。眞可謂温且惠矣

燕燕四章章六句

日居月諸。照臨下土。乃如之人兮。逝不古處。昌呂反 胡能有定。寧不我顧。叶果五反

賦也。日居月諸。呼而訴之也。之人。指莊公也。逝。發語辭。古處。未詳。或云以古道相處也。胡。寧。皆何也。○莊姜不見答於莊公。故呼日月而訴之。言日月之照臨下土久矣。今乃有如是之人。而不以古道相處。是其心志回惑。亦何能有定哉。而何爲其獨不我顧也。見棄如此。而猶有望之之意焉。此詩之所以爲厚也。

○日居月諸。下土是冒。乃如之人兮。逝不相好。呼報反 胡能有定。寧不我報。

賦也。冒。覆。報。答也。

○日居月諸。出自東方。乃如之人兮。德音無良。胡能有定。俾也可忘。

賦也。日旦必出東方。月望亦出東方。德音。美其辭。無良。醜其實也。俾也可忘。言何獨使我爲可忘者耶

○日居月諸。東方自出。父兮母兮。畜

致也。而戴嬀猶以先君之思勉其夫人，真可謂溫且惠矣。

燕燕四章，章六句。

日居月諸，照臨下土。乃如之人兮，逝不古處。叶上聲胡能有定，寧不我顧。叶果五反

賦也。日居月諸，呼而訴之也。之人，指莊公也。逝，發語辭。古處，未詳。或云以古道相處也。胡、寧，皆何也。○莊姜不見答於莊公，故呼日月而訴之，言日月之照臨下土久矣，今乃有如是之人，而不以古道相處，是其心志回惑，亦何能有定哉，而何為其獨不我顧也。見棄如此，而猶有望之之意焉，此詩之所以為厚也。

○日居月諸，下土是冒。乃如之人兮，逝不相好。叶許厚反胡能有定，寧不我報。叶蒲救反

賦也。冒，覆。報，答也。

○日居月諸，出自東方。乃如之人兮，德音無良。胡能有定，俾也可忘。

賦也。日旦必出東方，月望亦出東方。德音，美其辭。無良，醜其實也。俾也可忘，言何獨使我為可忘者耶。

○日居月諸，東方自出。父兮母兮，畜我不卒。

我不卒。胡能有定。報我不述。

賦也。畜，養。卒，終也。不得其夫，而歎父母養我之不終。蓋憂患疾痛之極，必呼父母，人之至情也。述，循也。言不循義理也。

日月四章章六句

此詩當在燕燕之前。下篇放此。

終風且暴。顧我則笑。叶音燥 謔許約反浪笑敖。五報反 中心是悼。

比也。終風，終日風也。暴，疾也。謔，戲言也。浪，放蕩也。悼，傷也。○莊公之爲人，狂蕩暴疾。莊姜蓋不忍斥言之。故但以終風且暴爲比。言雖其狂暴如此。然亦有顧我而笑之時。但皆出於戲慢之意。而無愛敬之誠。則又使我不敢言而心獨傷之耳。蓋莊公暴慢無常。而莊姜正靜自守。所以忤其意而不見答也。

○終風且霾。謨皆反。叶音貍 惠然肯來。叶如字。又陵之反 莫往莫來。悠悠我思。叶新才、新齎二反

比也。霾，雨土蒙霧也。惠，順也。悠悠，思之長也。○終風且霾。以比莊公之狂惑也。雖云狂惑，然亦或惠然而肯來。但又有莫往莫來之時。則使我悠悠而思之。望其君子之深，厚之至也。

【音釋】雨。王遇反。霧。謨逢、蒙弄二反。䟽。風而雨土爲霾。又曰。大風揚塵土從上下也。

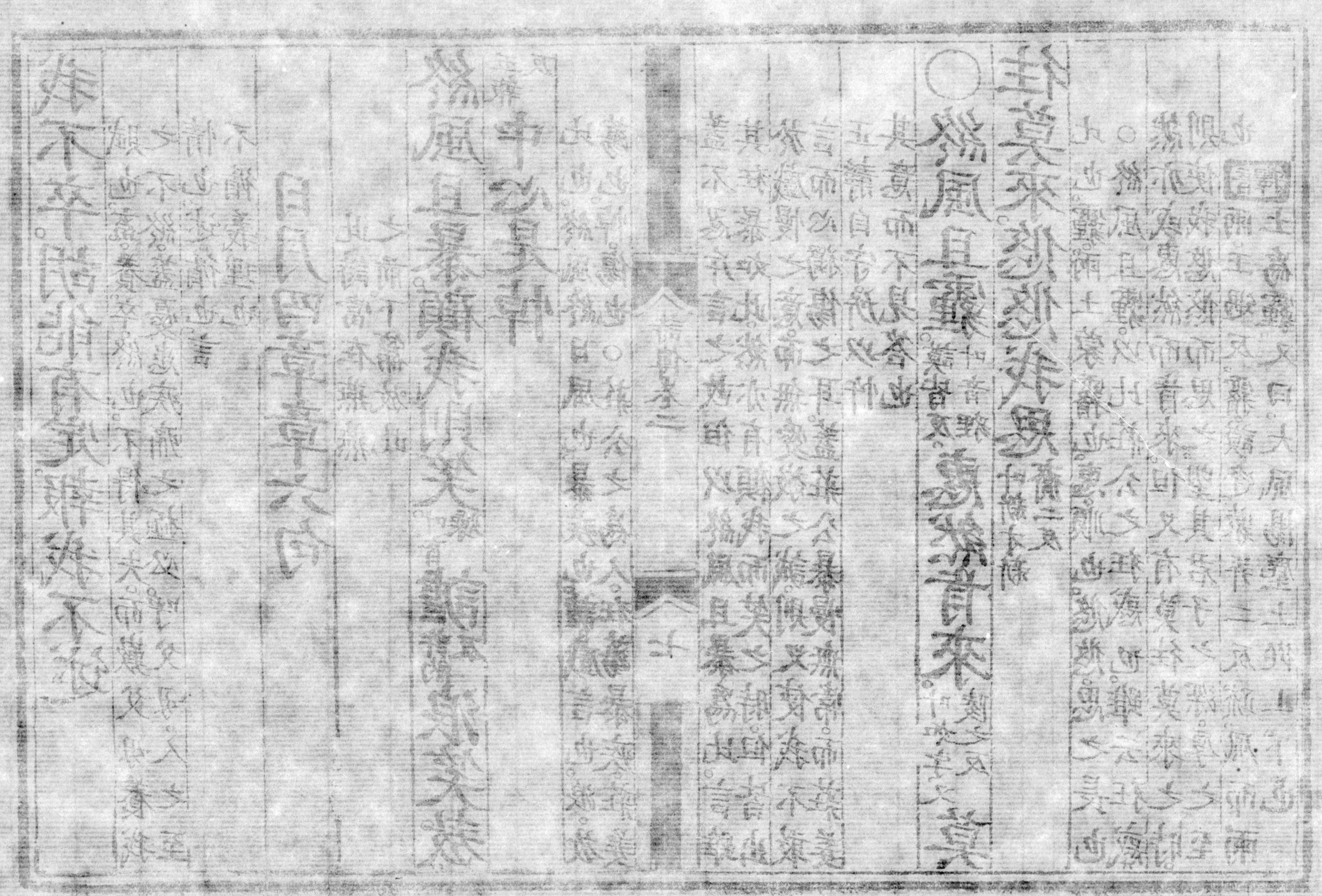

○終風且曀。於計反不日有曀。寤言不寐。願言則嚏。都麗反

比也。陰而風曰曀。有。又也。不日有曀。言既曀矣。不旋日而又曀也。亦比人之狂惑暫開而復蔽也。願。思也。嚏。鼽嚏也。人氣感傷閉鬱。又爲風霧所襲。則有是疾也。

【音釋】鼽。巨尤反病寒鼻窒也

○曀曀其陰。虺虺其靁。寤言不寐。願言則懷。叶胡隈反

比也。曀曀。陰貌。虺虺。靁將發而未震之聲。以比人之狂惑愈深而未已也。懷。思也。

終風四章章四句

說見上

○擊鼓其鏜。吐當反踊躍用兵。叶哺芒反土國城漕。我獨南行。叶戶郎反

賦也。鏜。擊鼓聲也。踊躍。坐作擊刺之狀也。兵。謂戈戟之屬。土。土功也。國。國中也。漕。衛邑名。○衛人從軍者自言其所爲。因言衛國之民。或役土功於國。或築城於漕。而我獨南行。有鋒鏑死亡之憂。危苦尤甚也。

○從孫子仲。平陳與宋。不我以歸。憂

心有忡（敕中反，叶敕衆反）

賦也。孫，氏。子仲，字。時軍帥也。平，和也。合二國之好也。舊說以此爲春秋隱公四年州吁自立之時，宋衛陳蔡伐鄭之事，恐或然也。以，猶與也。言不與我而歸也。【音釋】左氏傳隱公四年，州吁弒桓公而自立，將脩先君之怨於鄭，而求寵於諸侯，使告於宋曰：君若伐鄭以除君害，君爲主，敝邑以賦與陳蔡從。宋人許之。夏，宋陳蔡衛伐鄭，圍其東門，五日而還。秋，四國復伐鄭，敗鄭徒兵，取其禾而還。朱子曰：圍鄭五日而還，出兵不爲久，而人怨之如此者，身犯大逆，衆叛親離，莫肯爲之用爾。

○爰居爰處，爰喪（息浪反）其馬（叶滿補反）。于以求之，于林之下（叶後五反）。

賦也。爰，於也。於是居，於是處，於是喪其馬。而求之於林下，見其失伍離次，無鬭志也。

○死生契（苦結反）闊（叶苦劣反），與子成說。執子之手，與子偕老（叶魯吼反）。

賦也。契闊，隔遠之意。成說，謂成其約誓之言。○從役者念其室家，因言始爲室家之時，期以死生契闊不相忘棄，又相與執手而期以偕老也。

○于（音吁，下同）嗟闊（叶苦劣反）兮，不我活（叶戶劣反）兮。于嗟洵（音荀）兮，不我信（叶師人反）兮。

賦也。于嗟，歎辭也。闊，契闊也。洵，信也。信與申同。○言昔者契闊之約如此，而今不得活；偕老之信如此，而今不得伸。意必死亡，不復得與其室家遂前約之信也。

擊鼓五章，章四句。

凱風自南，叶尼心反吹彼棘心。棘心夭夭，於驕反母氏劬勞。叶音僚

比也。南風謂之凱風，長養萬物者也。棘，小木，叢生多刺難長，而心又其稚弱而未成者也。夭夭，少好貌。劬勞，病苦也。○衛之淫風流行，雖有七子之母，猶不能安其室，故其子作此詩。以凱風比母，棘心比子之幼時。蓋曰母生衆子，幼而育之，其劬勞甚矣。本其始而言，以

起自責之端也。【音釋】長，知丈反。

○凱風自南，吹彼棘薪。母氏聖善，我無令人。

興也。聖，叡。令，善也。○棘可以爲薪，則成矣。然非美材，故以興子之壯大而無善也。復以聖善稱其母，而自謂無令人，其自責也深矣。

○爰有寒泉，在浚之下。叶後五反有子七人，母氏勞苦。

興也。浚，衛邑。○諸子自責，言寒泉在浚之下，猶能有所滋益於浚，而有子七人，反不能事

賦也。于嗟，歎辭也。闊，契闊也。活，生。洵，信也。信與申同。○言昔者契闊之約如此，而今不得活；偕老之信如此，而今不得伸，意必死亡，不復得與其室家遂前約之信也。

擊鼓五章，章四句。

凱風自南，叶尼心反吹彼棘心。棘心夭夭，於驕反母氏劬勞。叶音僚

比也。南風謂之凱風，長養萬物者也。棘，小木，叢生多刺，難長，而心又其稚弱而未成者也。夭夭，少好貌。劬勞，病苦也。○衛之淫風流行，雖有七子之母，猶不能安其室。故其子作此詩，以凱風比母，棘心比子之幼時。蓋曰母生衆子，幼而育之，其劬勞甚矣。本其始而言，以起自責之端也。[illegible]

凱風自南，吹彼棘薪。母氏聖善，我無令人。

興也。棘可以爲薪，則成矣。然非美材，故以興子之壯大而無善也。復以聖善稱其母，而自謂無令人，其自責也深矣。

○爰有寒泉，在浚之下。叶後五反有子七人，母氏勞苦。

興也。浚，衛邑。諸子自責，言寒泉在浚之下，猶能有所滋益於浚，而有子七人，反不能事母，而使母至於勞苦乎。

母。而使母至於勞苦乎。於是乃若微指其事而痛自刻責以感動其母心也。母以淫風流行不能自守。而諸子自責但以不能事母使母勞苦爲詞。婉詞幾諫不顯其親之惡。可謂孝矣。下章放此

○睍胡顯反睆華板反黃鳥。載好其音。有子七人。莫慰母心。

興也。睍睆，清和圓轉之意。○言黃鳥猶能好其音以悅人。而我七子獨不能慰悅母心哉

凱風四章，章四句

雄雉于飛。泄泄移世反其羽。我之懷矣。自詒伊阻。

興也。雉，野雞。雄者有冠長尾，身有文采，善鬪。泄泄，飛之緩也。懷，思。詒，遺。阻，隔也。○婦人以其君子從役于外，故言雄雉之飛舒緩自得如此。而我之所思者，乃從役於外而自遺阻隔也。

【音釋】遺，以季反

○雄雉于飛。下上時掌反其音。展矣君子。實勞我心。

興也。下上其音，言其飛鳴自得也。展，誠也。言誠又言實，所以甚言此君子之勞我心也

【音釋】下上，音見燕燕

○瞻彼日月。悠悠我思。（叶新齎反）道之云遠。曷云能來。（叶陵之反）

賦也。悠悠。思之長也。見日月之往來。而思其君子從役之久也

○百爾君子。不知德行。（下孟反叶户郎反）不忮（之豉反）不求。何用不臧

賦也。百。猶凡也。忮。害。求。貪。臧。善也。○言凡爾君子。豈不知德行乎。若能不忮害。又不貪求。則何所爲而不善哉。憂其遠行之犯患。冀其善處而得全也

雄雉四章章四句

匏有苦葉。濟有深涉。深則厲。淺則揭（苦何反）

比也。匏。瓠也。匏之苦者不可食。特可佩以渡水而已。然今尚有葉。則亦未可用之時也。濟。渡處也。行渡水曰涉。以衣而涉曰厲。褰衣而涉曰揭。○此刺淫亂之詩。言匏未可用。而渡處方深。行者當量其淺深而後可渡。以比男女之際。亦當量度禮義而行也

【音釋】瓠胡故反。埤雅。長而瘦上曰瓠。短頸大腹曰匏。毛氏匏謂之瓠。誤矣。蓋匏苦瓠甘。復有長短之殊。非物也

○有瀰（彌爾反）濟盈。有鷕（以小反）雉鳴。濟盈不

○瞻彼日月，悠悠我思。叶新齎反道之云遠，叶于圓反曷云能來。叶陵之反

賦也。悠悠，思之長也。見日月之往來，而思其君子從役之久也。

○百爾君子，不知德行。下孟反，叶戶郎反不忮之豉反不求，何用不臧。

賦也。忮，害。求，貪。臧，善也。言凡爾君子，豈不知德行乎。若能不忮害、不貪求，則何所為而不善哉。憂其遠行之犯患，冀其善處而得全也。

雄雉四章，章四句

匏有苦葉，濟有深涉。深則厲，淺則揭。[illegible]

比也。匏，瓠也。匏之苦者不可食，特可佩以渡水而已。然今尚有葉，則亦未可用之時也。濟，渡處也。行涉水曰涉。以衣而涉曰厲，褰衣而涉曰揭。此刺淫亂之詩。言匏未可用，而渡處方深，行者當量其淺深而後可渡，以比男女之際亦當量度禮義而行也。

[illegible]

○有瀰彌爾反濟盈，有鷕以小反雉鳴。[illegible]濟盈

濡軌。居美反叶居有反雉鳴求其牡

比也。瀰，水滿貌。鷕，雌雉聲。軌，車轍也。飛曰雌
雄，走曰牝牡。〇夫濟盈必濡其轍，雉鳴當求
其雄，此常理也。今濟盈而曰不濡軌，雉鳴而
反求其牡，以比淫亂之人，不度禮義，非其配
耦而犯禮以相求也

〇雝雝鳴鴈，叶魚旰反旭許玉反日始旦。士如歸
妻，迨冰未泮

賦也。雝雝，聲之和也。鴈，鳥名，似鵝，畏寒，秋南
春北。旭，日初出貌。昏禮納采用鴈，親迎以昏
而納采請期以旦。歸妻以冰泮，而納采請期
迨冰未泮之時。〇言古人之於婚姻，其求之
不暴，而節之以禮如此，以深刺淫亂之人也

音釋

迎宜慶反

〇招招照遥反舟子，叶奬里反人涉卬五郎反否。叶補美反人
涉卬否，卬須我友叶羽軌反

比也。招招，號召之貌。舟子，舟人主濟渡者。卬，
我也。〇舟人招人以渡，人皆從之，而我獨否
者，待我友之招而後從之也。以比男女必
待其配耦而相從，而刺此人之不然也

音釋

號戶羔反

匏有苦葉四章，章四句

習習谷風，以陰以雨。黽勉同心，不宜

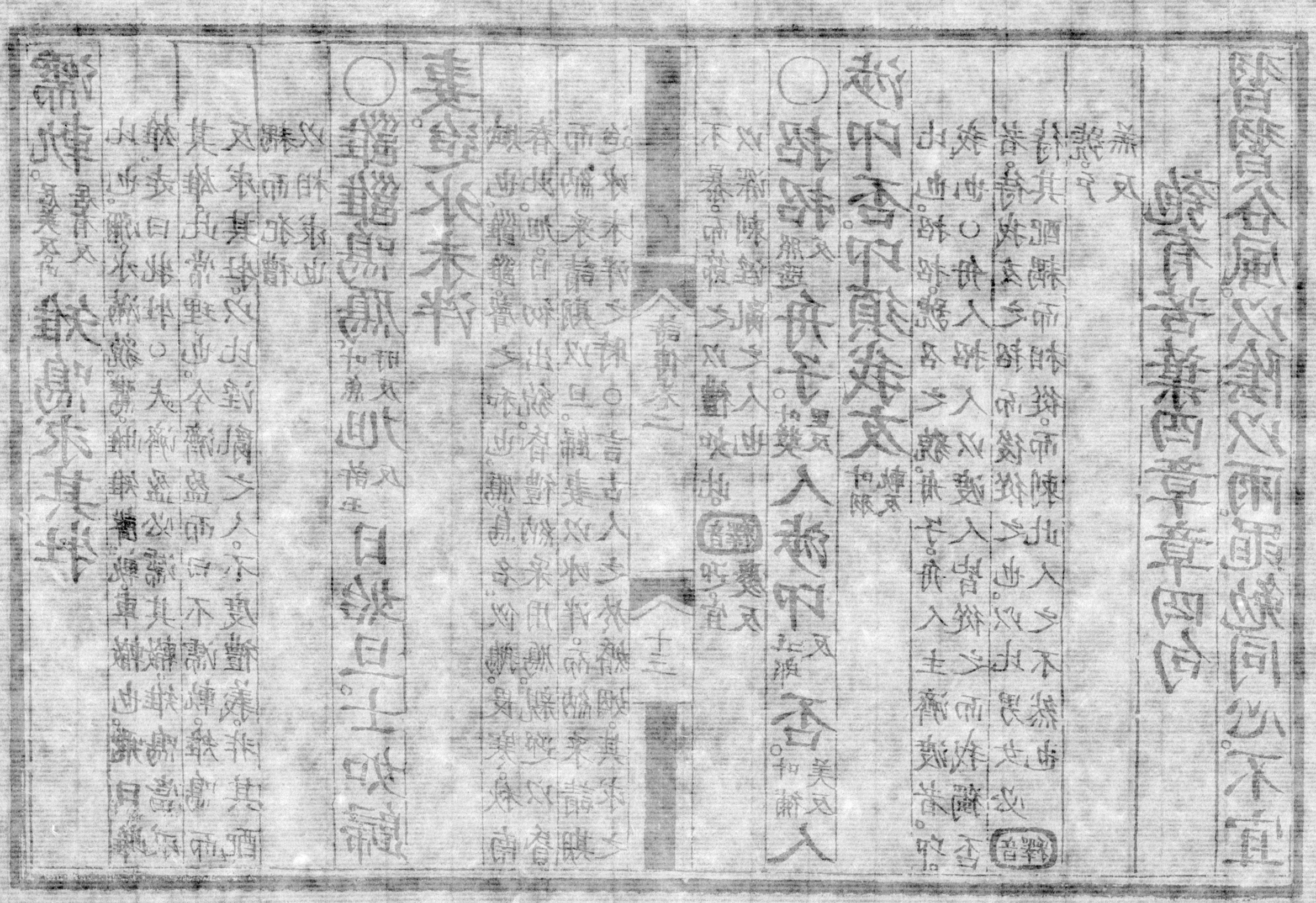

有怒（叶暖五反）采葑（叶孚容反）采菲（叶妣鬼反）無以下體德音莫違及爾同死（叶想止反）

比也。習習，和舒也。東風謂之谷風。葑，蔓菁也。菲，似葍，莖麤，葉厚而長，有毛。下體，根也。葑菲根莖皆可食，而其根則有時而美惡。德音，美譽也。○婦人爲夫所棄，故作此詩，以敘其悲怨之情。言陰陽和而後雨澤降，如夫婦和而後家道成。故爲夫婦者當黽勉以同心，而不宜至於有怒。又言采葑菲者不可以其根之惡而棄其莖之美，如爲夫婦者不可以其顔色之衰而棄其德音之善。但德音之不違，則可以與爾同死矣。【音釋】蔓音萬。俗呼作瞞菁。音青。葍音福。

○行道遲遲，中心有違。不遠伊邇，薄送我畿。（音祈）誰謂荼（音徒）苦，其甘如薺。（音泚）宴爾新昏，如兄如弟。（待禮反）

賦而比也。遲遲，舒行貌。違，相背也。畿，門内也。荼，苦菜，蓼屬也。詳見良耜。薺，甘菜。宴，樂也。新昏，夫所更娶之妻也。○言我之被棄，行於道路，遲遲不進，蓋其足欲前而心有所不忍，如相背然。而故夫之送我，乃不遠而甚邇，亦至其門内而止耳。又言荼雖甚苦，反甘如薺，以比已之見棄，其苦有甚於荼。而其夫方且宴樂其新昏，如兄如弟，而不見恤。蓋婦人從一而終，今雖見棄，猶有望夫之情，厚之至也。【音釋】更，平聲。

○涇以渭濁，湜湜（音殖）其沚。（音止）宴爾新昏，不我屑以。毋逝我梁，毋發我笱。（古口反）我躬不閱，遑恤我後。（胡口反）

比也。涇渭，二水名。涇水出今原州百泉縣笄頭山東南，至永興軍高陵入渭。渭水出渭州渭源縣鳥鼠山，至同州馮翊縣入河。湜湜，清貌。沚，水渚也。屑，潔。以，與。逝，之也。梁，堰石障水而空其中，以通魚之往來者也。笱，以竹爲器而承梁之空以取魚者也。閱，容也。○涇濁渭清，然涇未屬渭之時，雖濁而未甚見。由二水旣合而清濁益分。然其別出之渚，流或稍緩，則猶有清處。婦人以自比其容貌之衰久矣，又以新昏形之，益見憔悴。然其心則固猶有可取者，但以故夫之安於新昏，故不以我爲潔而與之耳。又言毋逝我之梁，毋發我之笱，以比欲戒新昏毋居我之處，毋行我之事。而又自思我身且不見容，何暇恤我已去之後哉。知不能禁，而絕意之辭也。

【音釋】馮，皮冰反。翊，逸織反。堰，於建反。

○就其深矣，方之舟之。就其淺矣，泳之游之。何有何亡，黽勉求之。凡民有喪，匍（音蒲）匐（蒲北反）救之。（叶居尤反）

興也。方，桴。舟，船也。潛行曰泳，浮水曰游。匍匐，手足並行，急遽之甚也。○婦人自陳其治家勤勞之事。言我隨事盡其心力而爲之。深則方舟，淺則泳游，不計其有與亡，而勉強以求

之。又周睦其隣里鄉黨。莫不盡其道也

○不我能慉許六反反以我爲讎。既阻我德。賈音古用不售。市救反叶市周反昔育恐育鞫居六反及爾顛覆芳服反既生既育比予于毒

賦也。慉。養。阻。却。鞫。窮也。○承上章言我於女家勤勞如此。而女既不我養。而反以我爲仇讎。惟其心既拒却我之善。故雖勤勞如此而不見取。如賈之不見售也。因念其昔時相與爲生。惟恐其生理窮盡。而及爾皆至於顛覆。今既遂其生矣。乃反比我於毒而棄之乎。張子曰。育恐。謂生於恐懼之中。育鞫。謂生於困窮之際。亦通

【音釋】女音汝

○我有旨蓄勅六反亦以御冬。魚呂反下同宴爾新昏。以我御窮。有洸音光有潰戶對反既詒我肄。羊至反不念昔者。伊余來塈

興也。旨。美。蓄。聚。御。當也。洸。武貌。潰。怒色也。肄。勞。塈。息也。○又言我之所以蓄聚美菜者。蓋欲以禦冬月乏無之時。至於春夏則不食之矣。今君子安於新昏而厭棄我。是但使我禦其窮苦之時。至於安樂則棄之也。又言於我極其武怒。而盡遺我以勤勞之事。曾不念昔者我之來息時也。追言其始見君子之時接禮之厚。怨之深也

【音釋】頁安世家說。洸爲武。取武夫洸洸之意。說文。洸。水涌光也。引詩此句爲證。徐鍇註。其勇如水之涌也。如此說。則

之。又周睦其隣里鄉黨。莫不盡其道也。

○不我能慉（許六反），反以我為讎。既阻我德，賈（音古）用不售（市救反，叶市周反）。昔育恐育鞫（居六反），及爾顛覆（芳服反）。既生既育，比予于毒。

賦也。慉，養。阻，卻。鞫，窮也。○承上章言我於汝家勤勞如此，而汝不我養，而反以我為仇讎。惟其心既拒卻我之善，故雖勤勞如此而不見取，如賈之不見售也。因念其昔時相與為生，惟恐其生理窮盡，而及爾皆至於顛覆。今既遂其生矣，乃反比我於毒而棄之乎。張子曰：育恐，謂生於恐懼之中。育鞫，謂生於困窮之際。亦通。【音釋】女音汝。

○我有旨蓄（敕六反），亦以御（魚呂反，下同）冬。宴爾新昏，以我御窮。有洸（音光）有潰（戶對反），既詒我肄（以至反）。不念昔者，伊余來塈（許器反）。

興也。旨，美。蓄，聚。御，當也。洸，武貌。潰，怒色也。肄，勞。塈，息也。○又言我之所以蓄聚美菜者，蓋欲以御冬月乏無之時。至於春夏則不食之矣。今君子安於新昏而厭棄我，是但使我御其窮苦之時，至於安樂則棄之也。又言於我極其武怒，而盡遺我以勤勞之事，曾不念昔者我之來息時也。【音釋】[illegible]

[illegible]

武字為非

谷風六章章八句

式微式微。胡不歸。微君之故。胡為乎中露。

賦也。式。發語辭。微。猶衰也。再言之者。言衰之甚也。微。猶非也。中露。露中也。言有霑濡之辱而無所芘覆也。○舊說以為黎侯失國而寓於衛。其臣勸之曰。衰微甚矣。何不歸哉。我若非以君之故。則亦胡為而辱於此哉。音釋 芘。必至反。覆。孚救反。

○式微式微。胡不歸。微君之躬。胡為

乎泥中。

賦也。泥中。言有陷溺之難。而不見拯救也。音釋 難。乃旦反。

此無所考。姑從序說。

式微二章章四句

旄丘之葛兮叶居謁反。何誕徒旱反之節兮。叔兮伯叶音逼兮。何多日也。

興也。前高後下曰旄丘。誕。闊也。叔伯。衛之諸臣也。○舊說。黎之臣子自言久寓於衛。時物變矣。故登旄丘之上。見其葛長大而節疏闊。因託以起興曰。旄丘之葛。何其節之闊也。衛

之諸臣。何其多日而不見救也。此詩本責衛君。而但斥其臣。可見其優柔而不迫矣

○何其處也。必有與也。何其久也叶舉里反。必有以也

賦也。處。安處也。與。與國也。以。他故也。○因上章何多日也而言何其安處而不來。意必有與國相俟而俱來耳。又言何其久而不來。意其或有他故而不得來耳。詩之曲盡人情如此

○狐裘蒙戎。匪車不東。叔兮伯兮。靡所與同

賦也。大夫狐蒼裘。蒙戎。亂貌。言弊也。○又自言客久而裘弊矣。豈我之車不東告於女乎。但叔兮伯兮不與我同心。雖往告之而不肯來耳。至是始微諷切之。或曰。狐裘蒙戎。指衛大夫而譏其憒亂之意。匪車不東。言非其車不肯東來救我也。但其人不肯與俱來耳。今按黎國在衛西。前說近是

【音釋】女音汝。憒古對反。左傳註。黎侯國。上黨壺關縣有黎亭

○瑣素果反兮尾兮。流離之子叶獎里反。叔兮伯兮。褎由救反如充耳

賦也。瑣。細。尾。末也。流離。漂散也。褎。多笑貌。充耳。塞耳也。耳聾之人恒多笑。○言黎之君臣流離瑣尾若此。其可憐也。而衛之諸臣褎然如塞耳而無聞。何哉。至是然後盡其辭焉。流

離患難之餘而其言之有序而不迫如此其人亦可知矣

旄丘四章章四句

說同上篇

簡兮簡兮方將萬舞日之方中在前上處

賦也簡簡易不恭之意萬者舞之總名武用干戚文用羽籥也日之方中在前上處言當明顯之處○賢者不得志而仕於伶官有輕世肆志之心焉故其言如此若自譽而實自嘲也

音釋　易以豉反譽音余下同

○碩人俁俁疑矩反公庭萬舞有力如虎執轡如組音祖

賦也碩大也俁俁大貌轡今之韁也組織絲為之言其柔也御能使馬則轡柔如組矣○又自譽其才之無所不備亦上章之意也

○左手執籥餘若反右手秉翟亭歷反叶直角反赫如渥於角反赭音者叶陟略反公言錫爵

賦也執籥秉翟者文舞也籥如笛而六孔或曰三孔翟雉羽也赫赤貌渥厚漬也赭赤色也言其顏色之充盛也公言錫爵即儀禮燕飲而獻工之禮也以碩人而得此則亦辱矣

乃反以其賚予之親洽爲榮而誇美之。亦玩世不恭之意也

○山有榛。側巾反 隰有苓。音零 云誰之思。西方美人。彼美人兮。西方之人兮

興也。榛。似栗而小。下濕曰隰。苓。一名大苦。葉似地黃。即今甘草也。西方美人。託言以指西周之盛王。如離騷亦以美人目其君也。又曰西方之人者。歎其遠而不得見之辭也。○賢者不得志於衰世之下國。而思盛際之顯王。故其言如此。而意遠矣

簡兮四章。三章章四句。一章六句

舊三章章六句。今改定。○張子曰。爲祿仕而抱關擊柝。則猶恭其職也。爲伶官。則雜於侏儒俳優之間。不恭甚矣。其得謂之賢者。雖其迹如此。而其中固有以過人。又能卷而懷之。是亦可以爲賢矣。東方朔似之

毖悲位反彼泉水。亦流于淇。有懷于衛。靡日不思。叶新齎反 孌力轉反彼諸姬。聊與之謀。叶謨悲反

興也。毖。泉始出之貌。泉水。即今衛州共城之百泉也。淇水。出相州林慮縣東流。泉水自西北而東南來注之。孌。好貌。諸姬。謂姪娣也。○衛女嫁於諸侯。父母終。思歸寧而不得。故作此詩。言毖然之泉水。亦流於淇矣。我之有懷於衛。則亦無日而不思矣。是以即諸姬而與

之謀爲歸衛之計。如下兩章之云也

【音釋】巷居容反。濾淩如反

○出宿于泲子禮反飲餞音踐于禰乃禮反女子有行遠于願反父母兄弟待禮反問我諸姑遂及伯姊叶獎禮反

賦也。泲地名。飲餞者，古之行者必有祖道之祭。祭畢處者送之。飲於其側而後行也。禰亦地名。皆自衛來時所經之處也。諸姑伯姊即所謂諸姬也。○言始嫁來時則固已遠其父母兄弟矣。況今父母既終而復可歸哉。是以問於諸姑伯姊而謀其可否云耳。鄭氏曰國君夫人父母在則歸寧。沒則使大夫寧於兄弟

○出宿于干叶居焉反飲餞于言。載脂載舝胡瞎反叶下介反還音旋車言邁。遄市專反臻于衛。此字本與邁害叶。今讀誤不瑕有害

賦也。干言地名。適衛所經之地也。脂以脂膏塗其舝使滑澤也。舝車軸也。不駕則脫之。設之而後行也。還回旋也。旋其嫁來之車也。遄疾。臻至也。瑕何。古音相近。通用。○言如是則其至衛疾矣。然豈不害於義理乎。疑之而不敢遂之辭也

○我思肥泉。茲之永歎。叶它涓反思須與漕。叶徂侯反我心悠悠。駕言出遊。以寫我憂

賦也。肥泉，水名。須、漕，衛邑也。悠悠，思之長也。寫，除也。○既不敢歸，然其思衛地不能忘也。

安得出遊於彼，而寫其憂哉。

泉水四章，章六句

楊氏曰：衛女思歸，發乎情也；其卒也不歸，止乎禮義也。聖人著之於經，以示後世，使知適異國者，父母終，無歸寧之義，則能自克者知所處矣。

出自北門，[叶眉貧反] 憂心殷殷。終窶[其矩反]且貧，莫知我艱[叶居銀反]。已焉哉[叶將其反，下同]，天實爲之，謂之何哉。

比也。北門，背陽向陰。殷殷，憂也。窶者，貧而無以爲禮也。○衛之賢者處亂世，事暗君，不得其志，故因出北門而賦以自比。又歎其貧窶人莫知之，而歸之於天也。

○王事適我，政事一埤[避支反]益我。我入自外，室人交徧讁[知革反，叶竹棘反]我。已焉哉，天實爲之，謂之何哉。

賦也。王事，王命使爲之事也。適，之也。政事，其國之政事也。一，猶皆也。埤，厚。室，家。讁，責也。○王事既適我矣，政事又一切以埤益我，其勞如此，而窶貧又甚，室人至無以自安而交徧讁我，則其困於內外極矣。

○王事敦（叶都回反）我，政事一埤遺（唯季反，叶夷回反）我。我入自外，室人交徧摧（祖回反）我。已焉哉，天實爲之，謂之何哉。

賦也。敦，猶投擲也。遺，加。摧，沮也。

北門三章，章七句。

楊氏曰：忠信重祿，所以勸士也。衛之忠臣至於窶貧，而莫知其艱，則無勸士之道矣。仕之所以不得志也。先王視臣如手足，豈有以事投遺之，而不知其艱哉。然不擇事而安之，無懟憾之辭，知其無可奈何，而歸之於天，所以爲忠臣也。

北風其涼，雨（于付反）雪其雱（普康反）。惠而好（呼報反，下同）我，攜手同行（叶戶郎反）。其虛其邪（音徐，下同）。既亟只（音紙，下同）且（子餘反，下同）。

比也。北風，寒涼之風也。涼，寒氣也。雱，雪盛貌。惠，愛。行，去也。虛，寬貌。邪，一作徐，緩也。亟，急也。只且，語助辭。○言北風雨雪，以比國家危亂將至，而氣象愁慘也。故欲與其相好之人去而避之。且曰是尚可以寬徐乎。彼其禍亂之迫已甚，而去不可不速矣。

○北風其喈（音皆，居奚反），雨雪其霏（芳非反）。惠而好我，攜手同歸。其虛其邪，既亟只且。

比也。喈，疾聲也。霏，雨雪分散之狀。歸者，去而不反之辭也。

○莫赤匪狐。莫黑匪烏。惠而好我。攜手同車。其虛其邪。既亟只且。

比也。狐，獸名，似犬，黃赤色。烏，鴉，黑色。皆不祥之物，人所惡見者也。所見無非此物，則國將危亂可知。同行同歸，猶賤者也。同車，則貴者亦去矣。

北風三章，章六句

靜女其姝。赤朱反俟我於城隅。愛而不見。搔蘇刀反首踟直知反蹰。直誅反

賦也。靜者，閒雅之意。姝，美色也。城隅，幽僻之處。不見者，期而不至也。踟蹰，猶躑躅也。此淫奔期會之詩也。

○靜女其孌。貽我彤徒冬反管。叶古兖反彤管有煒。于鬼反說音悅懌音亦女美。

賦也。孌，好貌。於是則見之矣。彤管，未詳何物。蓋相贈以結殷勤之意耳。煒，赤貌。言既得此物，而又悅懌此女之美也。

○自牧歸荑。徒兮徒計二反洵美且異。夷曳二音匪女音汝之為美。美人之貽。與異同

賦也。牧，外野也。歸，亦貽也。荑，茅之始生者。洵，信也。女，指荑而言也。○言靜女又贈我以荑，而其荑亦美且異。然非此荑之爲美，特以美人之所贈，故其物亦美耳。

靜女三章，章四句

新臺有泚，此禮反 河水瀰瀰。模禮反 燕婉之求，籧音蕖 篨音除 不鮮。斯淺反，叶想止反

賦也。泚，鮮明也。瀰瀰，盛也。燕，安。婉，順也。籧篨，不能俯，疾之醜者也。蓋籧篨本竹席之名。人或編以爲囷，其狀如人之擁腫而不能俯者，故又因以名此疾也。鮮，少也。○舊說以爲衛宣公爲其子伋娶於齊，而聞其美，欲自娶之，乃作新臺於河上而要之。國人惡之而作此

詩，以刺之。言齊女本求與伋爲燕婉之好，而反得宣公醜惡之人也。

○新臺有洒，七罪反，叶先典反 河水浼浼。每罪反，叶美辨反 燕婉之求，籧篨不殄。

賦也。洒，高峻也。浼浼，平也。殄，絕也。言其病不已也。

○魚網之設，鴻則離之。燕婉之求，得此戚施。

興也。鴻，鴈之大者。離，麗也。戚施，不能仰，亦醜疾也。○言設魚網而反得鴻，以興求燕婉而反得醜疾之人。所得非所求也。

新臺三章章四句

凡宣姜事首末見春秋傳。然於詩則皆未有考也。諸篇放此。

二子乘舟。汎汎芳劒反其景。叶舉兩反願言思子。中心養養。以兩反

賦也。二子，謂伋壽也。乘舟，渡河如齊也。景，古影字。養養，猶漾漾。憂不知所定之貌。○舊說以爲宣公納伋之妻，是爲宣姜，生壽及朔。朔與宣姜愬伋於公，公令伋之齊，使賊先待於隘而殺之。壽知之，以告伋。伋曰：君命也，不可以逃。壽竊其節而先往，賊殺之。伋至，曰：君命殺我，壽有何罪。賊又殺之。國人傷之而作是詩也。

○二子乘舟。汎汎其逝。此字本與害叶。今讀誤願言思子。不瑕有害。

賦也。逝，往也。不瑕，疑辭。義見泉水。此則見其不歸而疑之也。

二子乘舟二章章四句

太史公曰：余讀世家言，至於宣公之子以婦見誅，弟壽爭死以相讓，此與晉太子申生不敢明驪姬之過同，俱惡傷父之志。然卒死亡，何其悲也。或父子相殺，兄弟相戮，亦獨何哉。

邶十九篇七十二章三百六

二子乘舟汎汎其景[illegible]願言思子[illegible]

中心養養[illegible]

[illegible]

二子乘舟汎汎其逝[illegible]願言思子[illegible]

不瑕有害[illegible]

二子乘舟二章章四句

[illegible]

邶十九篇七十一章三百六十三句

鄘栢舟詁訓傳第四

十三句

詩卷之二

十三畫

書卷之二

詩卷之三

朱熹集傳

鄘一之四

說九上竹栖

汎彼柏舟，在彼中河。髧徒坎反彼兩髦音毛，實維我儀叶牛何反。之死矢靡他湯河反。母也天只音紙，下同。叶鐵因反，不諒人只。

興也。中河，中於河也。髧，髮垂貌。兩髦者，翦髮夾囟，子事父母之飾，親死然後去之。此蓋指共伯也。我，共姜自我也。儀，匹。之，至。矢，誓。靡，無也。只，語助辭。諒，信也。○舊說以爲衛世子共伯蚤死，其妻共姜守義，父母欲奪而嫁之，故共姜作此以自誓。言柏舟則在彼中河，兩髦則實我之匹，雖至於死，誓無他心。母之於我，覆育之恩如天罔極，而何其不諒我之心乎。不及父者，疑時獨母在，或非父意耳。

【音釋】囟，思晉反。去，起呂反。共，音恭。共伯，衛釐侯子。名餘，武公兄。覆，孚救反。

○汎彼柏舟，在彼河側。髧彼兩髦，實維我特。之死矢靡慝他得反。母也天只，不諒人只。

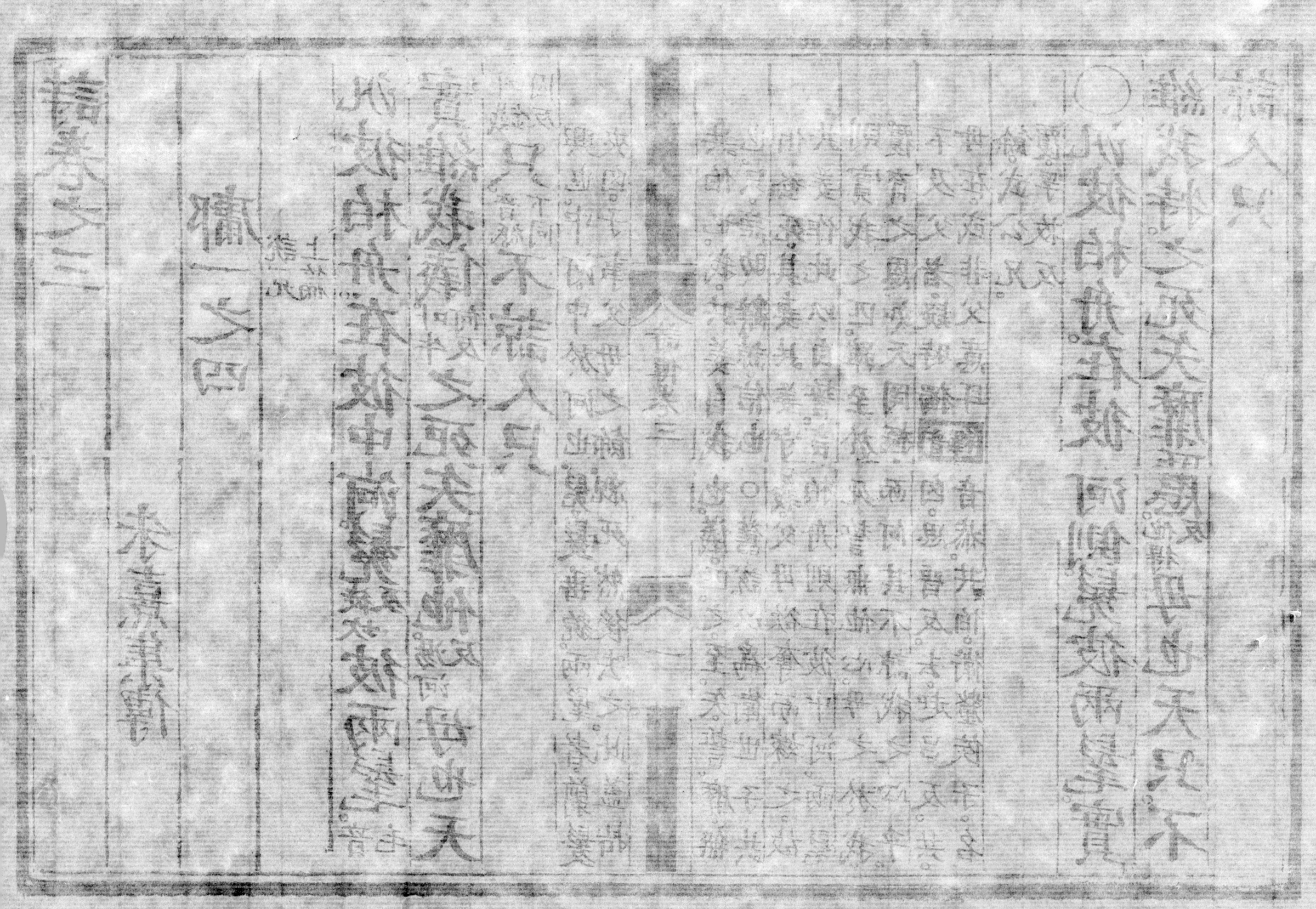

興也。特。亦匹也。慝。邪也。以是爲慝。則其絶之甚矣。

柏舟二章章七句

牆有茨。不可埽叶蘇后反也。中冓古候反之言。不可道叶徒厚反也。所可道也。言之醜也。

興也。茨。蒺藜也。蔓生。細葉。子有三角刺人。中冓。謂舍之交積材木也。道。言。醜。惡也。○舊說以爲宣公卒。惠公幼。其庶兄頑烝於宣姜。故詩人作此詩以刺之。言其閨中之事皆醜惡而不可言。理或然也。

○牆有茨。不可襄也。中冓之言。不可

詳也。所可詳也。言之長也。

興也。襄。除也。詳。詳言之也。言之長者。不欲言而託以語長難竟也。

○牆有茨。不可束也。中冓之言。不可讀也。所可讀也。言之辱也。

興也。束。束而去之也。讀。誦言也。辱。猶醜也。

牆有茨三章章六句

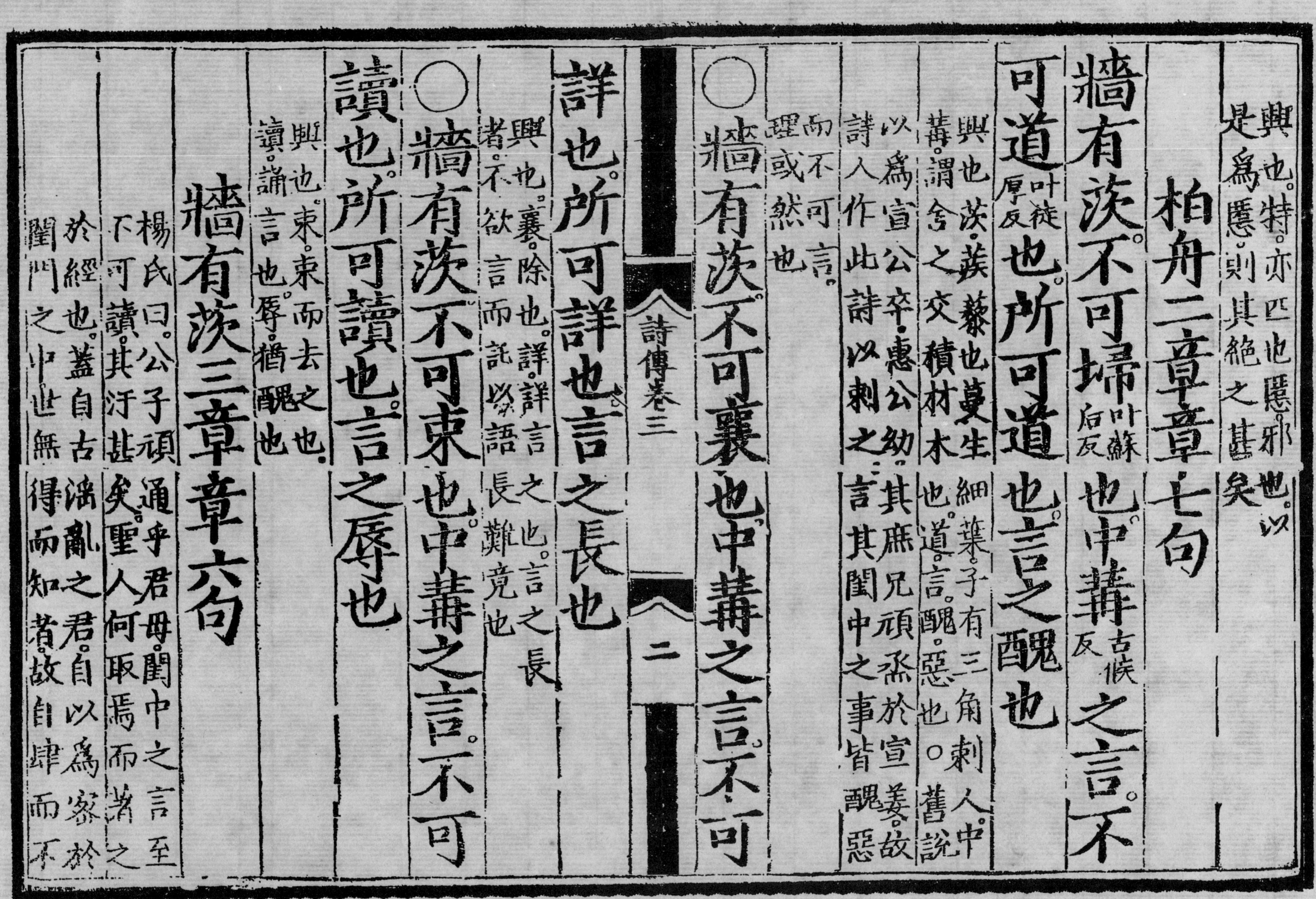

楊氏曰。公子頑通乎君母。閨中之言至不可讀。其汙甚矣。聖人何取焉而著之於經也。蓋自古淫亂之君。自以爲密於閨門之中。世無得而知者。故自肆而不

反。聖人所以著之於經，使後世爲惡者知雖閨中之言亦無隱而不彰也。其爲訓戒深矣。

君子偕老，副笄六珈。音加，叶居河反。委委佗佗，於危反。佗，待河反。如山如河，象服是宜。叶牛何反。子之不淑，云如之何。

賦也。君子，夫也。偕老，言偕生而偕死也。女子之生，以身事人，則當與之同生，與之同死。故夫死稱未亡人，言亦待死而已，不當復有他適之志也。副，祭服之首飾，編髮爲之。笄，衡笄也。垂于副之兩旁當耳，其下以紞懸瑱。珈之言加也。以玉加於笄而爲飾也。委委佗佗，雍容自得之貌。如山，安重也。如河，弘廣也。象服，法度之服也。淑，善也。○言夫人當與君子偕老，故其服飾之盛如此。而雍容自得，安重寬廣，又有以宜其象服。今宣姜之不善乃如此，雖有是服，亦將如之何哉。言不稱也。

音釋 天官追師掌王后之首服，爲副編次。註：副之爲言覆，所以覆首爲之飾，其遺象若今步摇。服之以從王祭祀。疏：步摇，謂在首之時行步摇動。又云追衡笄。註：追猶治也。王后之衡笄皆以玉爲之。唯祭服有衡，垂于副之兩旁當耳，其下以紞縣瑱。笄，卷髮者。紞，都感反。縣，音懸。瑱，他甸反。卷，音捲。紞，織如絛，上屬於衡，以懸瑱者。瑱，以玉爲之，以纊縳之而屬於紞，懸之當耳。縳，音篆。卷也。

○玼音此兮玼兮，其之翟也。叶去聲。鬒眞忍反，[illegible]反髮

如雲，不屑（先結反）髢（徒帝反）也。玉之瑱（吐殿反）也，象之揥（勑帝反）也，揚且（子餘反）之晳（星曆反，叶征例反）也。胡然而天也，胡然而帝也。

賦也。玼，鮮盛貌。翟衣，祭服，刻繒爲翟雉之形而彩畫之以爲飾也。鬒，黑也。如雲，言多而美也。屑，潔也。髢，髲髢也。人少髮則以髢益之。髮自美則不潔於髢而用之也。瑱，塞耳也。象，象骨也。揥，所以摘髮也。揚，眉上廣也。且，助語辭。晳，白也。胡然而天，胡然而帝，言其服飾容貌之美，見者驚猶鬼神也。【音釋】繒，慈陵反，帛也。摘，他狄反。

○瑳（七我反）兮瑳兮，其之展（陟戰反，叶諸延反）也。蒙彼縐（側救反）絺，是紲（息列反）袢（薄慢反，叶汾乾反）也。子之清揚，揚且之顔（叶魚堅反）也。展如之人兮，邦之媛（于眷反，叶于權反）也。

賦也。瑳，亦鮮盛貌。展衣者，以禮見於君及見賓客之服也。蒙，覆也。縐絺，絺之蹙蹙者，當暑之服也。紲袢，束縛意。以展衣蒙絺綌而爲之紲袢，所以自歛飭也。或曰，蒙謂加絺綌於褻衣之上，所謂表而出之也。清，視清明也。揚，眉上廣也。顔，額角豐滿也。展，誠也。美女曰媛。見其徒有美色而無人君之德也。【音釋】袢，釋文符袁反。

君子偕老三章，一章七句，一章

九句一章八句

東萊呂氏曰首章之末云子之不淑云如之何責之也二章之末云胡然而天也胡然而帝也問之也三章之末云展如之人兮邦之媛也惜之也辭益婉而意益深矣

爰采唐矣沬音妹之鄉矣云誰之思美孟姜矣期我乎桑中叶諸良反要於遥反我乎上宮叶居王反送我乎淇之上叶辰羊反矣

賦也唐蒙菜也一名兔絲沬衛邑也書所謂妹邦者也孟長也姜齊女言貴族也桑中上宮淇上又沬鄉之中小地名也要猶迎也○衛俗淫亂世族在位相竊妻妾故此人自言將采唐於沬而與其所思之人相期會迎送如此也

○爰采麥叶訖力反矣沬之北矣云誰之思美孟弋矣期我乎桑中要我乎上宮送我乎淇之上矣

賦也麥穀名秋種夏熟者弋春秋或作姒蓋杞女夏后氏之後亦貴族也

○爰采葑矣沬之東矣云誰之思美孟庸矣期我乎桑中要我乎上宮送

我乎淇之上矣

賦也。葑，蔓菁也。庸，未聞。疑亦貴族也。

桑中三章，章七句

樂記曰：鄭衛之音，亂世之音也，比於慢矣。桑間濮上之音，亡國之音也，其政散，其民流，誣上行私而不可止也。按桑間即此篇，故小序亦用樂記之語。

音釋

比，毗志反

鶉音純之奔奔，鵲之彊彊。音姜人之無良，我以爲兄。叶虛王反

興也。鶉，鵪屬。奔奔、彊彊，居有常匹，飛則相隨之貌。人，謂公子頑。良，善也。○衛人刺宣姜與頑非匹耦而相從也。故爲惠公之言以刺之曰：人之無良，鶉鵲之不若，而我反以爲兄，何哉？

○鵲之彊彊，鶉之奔奔。叶逋珉反人之無良，我以爲君。

興也。人，謂宣姜。君，小君也。

鶉之奔奔二章，章四句

范氏曰：宣姜之惡不可勝道也。國人疾而刺之，或遠言焉，或切言焉。遠言之者，

君子偕老是也。切言之者，鶉之奔奔是也。衛詩至此，而人道盡，天理滅矣。中國無以異於夷狄，人類無以異於禽獸，而國隨以亡矣。胡氏曰：楊時有言，詩載此篇，以見衛爲狄所滅之因也。故在定之方中之前，因以是說考於歷代，凡淫亂者，未有不至於殺身敗國而亡其家者，然後知古詩垂戒之大，而近世有獻議乞於經筵不以國風進講者，殊失聖經之旨矣。

定丁佞反**之方中，作于楚宮。揆之以日，作于楚室。樹之榛栗，椅**於宜反**桐梓漆，爰伐琴瑟。**

賦也。定，北方之宿，營室星也。此星昏而正中，夏正十月也。於是時可以營制宮室，故謂之營室。楚宮，楚丘之宮也。揆，度也。樹八尺之臬，而度其日出入之景，以定東西，又參日中之景，以正南北也。楚室，猶楚宮，互文以協韻耳。榛栗二木，其實榛小栗大，皆可供籩實。椅，梓實桐皮。桐，梧桐也。梓，楸之疎理白色而生子者。漆，木有液黏黑，可飾器物。四木皆琴瑟之材也。爰，於也。衛爲狄所滅，文公徙居楚丘，營立宮室，國人悅之，而作是詩以美之。蘇氏曰：種木者求用於十年之後，其不求近功，凡此類也。

〔音釋〕度，徒各反。臬，魚列反。

○**升彼虛**起居反，叶起呂反**矣，以望楚矣。望楚與堂，景山與京。**叶居良反**降觀于桑。卜云其吉，**

終焉允臧

賦也。虛，故城也。楚，楚丘也。堂，楚丘之旁邑也。景，測景以正方面也。與既景迺岡之景同。或曰：景，山名，見商頌。京，高丘也。桑，木名，葉可飼蠶者。觀之以察其土宜也。允，信。臧，善也。○此章本其始之望景觀卜而言，以至於終而果獲其善也。

○靈雨既零，命彼倌人，（音官）星言夙駕，說（如銳反）于桑田。（叶徒因反）匪直也人，秉心塞淵。（叶一均反）騋（音來）牝三千。（叶倉新反）

賦也。靈，善。零，落也。倌人，主駕者也。星，見星也。說，舍止也。秉，操。塞，實。淵，深也。馬七尺以上爲騋。○言方春時雨既降，而農桑之務作，文公於是命主駕者晨起駕車，亟往而勞勸之。然非獨此人所以操其心者誠實而淵深也。蓋其所畜之馬七尺而牝者亦已至於三千之衆矣。蓋人操心誠實而淵深，則無所爲而不成，其致此富盛宜矣。記曰：問國君之富，數馬以對。今言騋牝之衆如此，則生息之蕃可見，而衛國之富亦可知矣。此章又要其終而言也。

音釋　勞，郎到反。操，七刀反。數，所矩反。

定之方中三章，章七句。

按春秋傳，衛懿公九年冬，狄入衛，懿公及狄人戰于熒澤而敗死焉。宋桓公迎衛之遺民渡河而南，立宣姜子申以廬於漕，是爲戴公。是年卒，立其弟燬，是爲

文公。於是齊桓公合諸侯以城楚丘而遷衛焉。文公大布之衣。大帛之冠。務材訓農。通商惠工。敬教勸學。授方任能。元年革車三十乘。季年乃三百乘

蝃丁計反蝀都動反在東。莫之敢指。女子有行。遠于願反父母兄弟叶待里反

比也。蝃蝀。虹也。日與雨交。倏然成質。似有血氣之類。乃陰陽之氣不當交而交者。蓋天地之淫氣也。在東者。莫虹也。虹隨日所映。故朝西而莫東也。○此刺淫奔之詩。言蝃蝀在東而人不敢指。以比淫奔之惡人不可道。況女子有行。又當遠其父母兄弟。豈可不顧此而冒行乎

○朝隮子西反于西。崇朝其雨。女子有行。遠兄弟父母叶滿補反

比也。隮。升也。周禮十煇。九曰隮。注以爲虹。蓋忽然而見。如自下而升也。崇。終也。從旦至食時爲終朝。言方雨而虹見。則其雨終朝而止矣。蓋淫慝之氣有害於陰陽之和也。今俗謂虹能截雨。信然

○乃如之人也。懷昏姻也。大無信叶斯人反也。不知命叶彌并反也

賦也。乃如之人。指淫奔者而言。婚姻。謂男女之欲。程子曰。女子以不自失爲信。命。正理也。

○言此淫奔之人。但知思念男女之欲。是不能自守其貞信之節。而不知天理之正也。程子曰。人雖不能無欲。然當有以制之。無以制之。而惟欲之從。則人道廢而入於禽獸矣。以道制欲。則能順命

蝃蝀三章章四句

相（息亮反）鼠有皮（叶蒲何反）。人而無儀（叶牛何反）。人而無儀。不死何爲（叶吾何反）

興也。相。視。鼠。蟲之可賤惡者。○言視彼鼠而猶必有皮。可以人而無儀乎。人而無儀。則其不死亦何爲哉

○相鼠有齒。人而無止。人而無止。不死何俟（叶羽已反。又音始）

興也。止。容止也。俟。待也

○相鼠有體。人而無禮。人而無禮。胡不遄死（叶想止反）

興也。體。支體也。遄。速也

相鼠三章章四句

孑孑（居熱反）干旄。在浚（蘇俊反）之郊（叶音高）。素絲紕

毗至反之良馬四之彼姝（赤朱反）者子何以畀（必寐反）之

賦也。孑孑，特出之貌。干旄，以旄牛尾注於旗干之首，而建之車後也。浚，衛邑名。邑外謂之郊。紕，組也。蓋以素絲織組而維之也。四之，兩服兩驂，凡四馬以載之也。姝，美也。子，指所見之人也。畀，與也。○言衛大夫乘此車馬，建此旌旄以見賢者。彼其所見之賢者，將何以畀之而答其禮意之勤乎。

○孑孑干旟，在浚之都。素絲組（音祖）之，良馬五之。彼姝者子，何以予（音與）之。

賦也。旟，州里所建鳥隼之旗也。上設旌旄，其下繫斿，斿下屬縿，皆畫鳥隼也。下邑曰都。五之，五馬，言其盛也。

【音釋】斿，力求反。縿，音衫。

○孑孑干旌，在浚之城。素絲祝之，良馬六之。彼姝者子，何以告（姑沃反）之。

賦也。析羽為旌。干旌，蓋析翟羽設於旗干之首也。城，都城也。祝，屬也。六之，六馬，極其盛而言也。

干旄三章，章六句

此上三詩，小序皆以為文公時詩。蓋見其列於定中、載馳之閒故爾。他無所考。

也然衛本以淫亂無禮不樂善道而亡其國今破滅之餘人心危懼正其有以懲創往事而興起善端之時也故其爲詩如此蓋所謂生於憂患死於安樂者

小序之言疑亦有所本云

載馳載驅叶袪尤反歸唁衛侯驅馬悠悠言至於漕叶徂侯反大夫跋蒲上反涉我心則憂

賦也載則也弔失國曰唁悠悠遠而未至之貌草行曰跋水行曰涉○宣姜之女爲許穆公夫人閔衛之亡馳驅而歸將以唁衛侯於漕邑未至而許之大夫有奔走跋涉而來者夫人知其必將以不可歸之義來告故心以爲憂也既而終不果歸乃作此詩以自言其意爾

○既不我嘉不能旋反視爾不臧我思不遠既不我嘉不能旋濟視爾不臧我思不閟

賦也嘉臧皆善也遠猶忘也濟渡也自許歸衛必有所渡之水也閟閉也止也言思之不止也○言大夫既至而果不以我歸爲善則我亦不能旋反而濟以至於衛矣雖視爾不以我爲善然我之所思終不能自已也

○陟彼阿丘言采其蝱音盲叶謨郎反女子善

懷亦各有行叶戶郎反許人尤之衆穉音稚且狂

賦也。偏高曰阿丘。蝱貝母也。主療鬱結之疾。善懷多憂思也。猶漢書云岸善崩也。行道。尤過也。○又言以其既不適衛而思終不止也。故其在塗或升高以舒憂想之情。或采蝱以療鬱結之疾。蓋女子所以善懷者亦各有道。而許國之衆人以爲過。則亦少不更事而狂妄之人爾。許人守禮非穉且狂也。但以其不知己情之切至而言若是爾。然而卒不敢違焉。則亦豈眞以爲穉且狂哉

音釋　少失照反

○我行其野。芃芃蒲紅反其麥。叶訖力反控苦貢反于大邦。誰因誰極。大夫君子。無我有尤。叶于其反百爾所思。叶新齎反不如我所之

賦也。芃芃麥盛長貌。控持而告之也。因如因魏莊子之因。極至也。大夫。卽跋涉之大夫。君子謂許國之衆人也。○又言歸途在野而涉芃芃之麥。又自傷許國之小而力不能救。故思欲爲之控告于大邦。而又未知其將何所因而何所至乎。大夫君子無以我爲有過。雖爾所以處此百方。然不如使我得自盡其心之爲愈也

載馳四章。二章章六句。二章章八句

事見春秋傳。舊說此詩五章，一章六句，二章三章四句，四章六句，五章八句。蘇氏合二章三章以爲一章。按春秋傳叔孫豹賦載馳之四章，而取其控于大邦，誰因誰極之意，與蘇說合，今從之。范氏曰：先王制禮，父母沒則不得歸寧者，義也。雖國滅君死，不得往赴焉，義重於亡故也。

鄘國十篇二十九章百七十六句

衛一之五

瞻彼淇奧（於六反），綠竹猗猗（於宜反，叶於何反）。有匪君子，如切如磋（七何反），如琢如磨。瑟兮僩（遐版反）兮，赫兮咺（況晚反）兮。有匪君子，終不可諼（況元反，叶況遠反）兮。

興也。淇，水名。奧，隈也。綠，色也。淇上多竹，漢世猶然，所謂淇園之竹是也。猗猗，始生柔弱而美盛也。匪，斐通，文章著見之貌也。君子，指武公也。治骨角者，既切以刀斧，而復磋以鑢鐋；治玉石者，既琢以槌鑿，而復磨以沙石。言其德之脩飭，有進而無已也。瑟，矜莊貌。僩，威嚴貌。咺，宣著貌。諼，忘也。○衛人美武公之德，而以綠竹始生之美盛，興其學問自脩之進益也。大學傳曰：如切如磋者，道學也；如琢如磨者，自脩也；瑟兮僩兮者，恂慄也；赫兮咺兮者，

威儀也。有斐君子，終不可諼兮者，道盛德至善，民之不能忘也。【音釋】見音現。鑢良豫反。鐋宅浪反。槌直追反。復扶又反。恂音峻。

〇瞻（音占）彼淇奥，綠竹青青。（子丁反）有匪君子，充耳琇瑩，（音營）會（古外反）弁如星。瑟兮僩兮，赫兮咺兮。有匪君子，終不可諼兮。

興也。青青，堅剛茂盛之貌。充耳，瑱也。琇瑩，美石也。天子玉瑱，諸侯以石。會，縫也。弁，皮弁也。以玉飾皮弁之縫中，如星之明也。〇以竹之至剛茂盛，興其服飾之尊嚴，而見其德之稱也。【音釋】瑱它甸反。縫扶用反。

〇瞻彼淇奥，綠竹如簀。（音責，叶側歷反）有匪君子，如金如錫，如圭如璧。寬兮綽兮，猗（於綺反）重（直恭反）較（古岳反）兮。善戲謔兮，不為虐兮。

興也。簀，棧也。竹之密比似之，則盛之至也。金錫，言其鍛鍊之精純。圭璧，言其生質之溫潤。寬，宏裕也。綽，開大也。猗，歎辭也。重較，卿士之車也。較，兩輢上出軾者，謂車兩傍也。善戲謔不為虐者，言其樂易而有節也。〇以竹之至盛，興其德之成就，而又言其寬廣而自如，和易而中節也。蓋寬綽無斂束之意，戲謔非莊厲之時，皆常情所忽，而易致過差之地也。然猶可觀而必有節焉，則其動容周旋之閒，無適而非禮，亦可見矣。禮曰：張而不弛，文武不

能也。弛而不張，文武不爲也。一張一弛，文武之道也。此之謂也。【音釋】棧，仕限反。牀第也。第，壯仕反。比，毗至反。易，以豉反。中，竹仲反。

淇奧三章，章九句。

按國語，武公年九十有五，猶箴儆于國曰：自卿以下至于師長士，苟在朝者，無謂我老耄而舍我，必恪恭於朝，以交戒我。遂作懿戒之詩以自警。而賓之初筵亦武公悔過之作，則其有文章而能聽規諫以禮自防也可知矣。衛之他君蓋無足以及此者。故序以此詩爲美武公，而今從之也。【音釋】長，知丈反。朝，直遥反。舍，始野反。

考槃在澗，叶居賢反。碩人之寬。叶區權反。獨寐寤言。永矢弗諼。況元反。

賦也。考，成也。槃，盤桓之意。言成其隱處之室也。陳氏曰：考，扣也。槃，器名。蓋扣之以節歌，如鼓盆拊缶之爲樂也。二說未知孰是。山夾水曰澗。碩，大。寬，廣。永，長。矢，誓。諼，忘也。○詩人美賢者隱處澗谷之間，而碩大寬廣，無戚戚之意。雖獨寐而寤言，猶自誓其不忘此樂也。

○考槃在阿，碩人之薖。苦禾反。獨寐寤歌。永矢弗過。古禾反。

賦也。曲陵曰阿。薖義未詳。或云亦寬大之意也。永矢弗過，自誓所願不踰於此，若將終身

之意也

○考槃在陸。碩人之軸。獨寐寤宿。永矢弗告。姑沃反

賦也。高平曰陸。軸，盤桓不行之意。寤宿，已覺而猶卧也。弗告者，不以此樂告人也。

考槃三章，章四句。

碩人其頎。其機反衣於旣反錦褧苦迥反衣。齊侯之子。衛侯之妻。東宮之妹。邢侯之姨。譚公維私。息夷反

賦也。碩人，指莊姜也。頎，長貌。錦，文衣也。褧，禪也。錦衣而加褧焉，爲其文之太著也。東宮，太子所居之宮。齊太子得臣也。繫太子言之者，明與同母，言所生之貴也。女子後生曰妹，妻之姊妹曰姨。姊妹之夫曰私。邢侯、譚公，皆莊姜姊妹之夫，互言之也。諸侯之女嫁於諸侯，則尊同，故歷言之。○莊姜事見邶風綠衣等篇。春秋傳曰：莊姜美而無子，衛人爲之賦碩人。即謂此詩。而其首章極稱其族類之貴，以見其爲正嫡小君，所宜親厚，而重歎莊公之昏惑也。音釋 禪，音丹。爲其之爲，去聲。重，直用反。

○手如柔荑。徒兮反膚如凝脂。領如蝤似修反蠐。音齊齒如瓠尸臥反犀。螓音秦首蛾我波反眉。巧

[illegible]

〇手我來矣 [illegible] 曰以鼓詣負以口 [illegible]

[illegible]

公 [illegible]

子請彼之事 [illegible] 之 [illegible] 夫 [illegible]

頁人其顏 [illegible]

吉樂三言十章四白

[illegible]

夫弟吉 [illegible]

〇吉樂在路人之 [illegible]

[illegible]

笑倩（七薦反）兮，美目盼（匹莧反，叶匹見反）兮。

賦也。茅之始生曰荑，言柔而白也。凝脂，脂寒而凝者，亦言白也。領，頸也。蝤蠐，木蟲之白而長者。瓠犀，瓠中之子，方正潔白而比次整齊也。螓，如蟬而小，其額廣而方正。蛾，蠶蛾也，其眉細而長曲。倩，口輔之美也。盼，黑白分明也。○此章言其容貌之美，猶前章之意也。

音釋

比，毗至反

○碩人敖敖（五刀反），說（始銳反）于農郊（叶音高）。四牡有驕（起橋反，叶音高），朱幩（符云反）鑣鑣（表驕反，叶音褒）。翟茀（音弗）以朝（直遙反，叶直豪反）。大夫夙退，無使君勞。

賦也。敖敖，長貌。說，舍也。農郊，近郊也。四牡，車之四馬。驕，壯貌。幩，鑣飾也。鑣者，馬銜外鐵，人君以朱纏之也。鑣鑣，盛也。翟，翟車也。夫人以翟羽飾車。茀，蔽也。婦人之車，前後設蔽。夙，早也。玉藻曰：君日出而視朝，退適路寢聽政，使人視大夫，大夫退，然後適小寢釋服。○此言莊姜自齊來嫁，舍止近郊，乘是車馬之盛，以入君之朝。國人樂得以為莊公之配，故謂諸大夫朝於君者，宜早退，無使君勞於政事，不得與夫人相親，而歎今之不然也。

○河水洋洋，北流活活（古闊反，叶戶劣反）。施罛（音孤）濊濊（呼活反，叶許月反），鱣（陟連反）鮪（于軌反）發發（補末反，叶方月反）。葭（音加）菼（吐敢反）揭揭（居謁反），庶姜孽孽（魚竭反），庶士有

朅欺列反

賦也。河在齊西衛東，北流入海。洋洋，盛大貌。活活，流貌。施，設也。罛，魚罟也。濊濊，罟入水聲也。鱣魚似龍，黃色，銳頭，口在頷下，背上腹下皆有甲，大者千餘斤。鮪似鱣而小，色靑黑。發發，盛貌。菼，薍也，亦謂之荻。揭揭，長也。庶姜，謂姪娣。孽孽，盛飾也。庶士，謂媵臣。朅，武貌。○言齊地廣饒，而夫人之來，士女佼好，禮儀盛備如此。亦首章之意也。

【音釋】薍五患反。佼古巧反。

碩人四章，章七句

氓之蚩蚩尺之反，抱布貿莫豆反絲叶新齊反。匪來貿絲，來即我謀叶謨悲反。送子涉淇，至于頓丘叶祛奇反。匪我愆期，子無良媒叶謨悲反。將七羊反子無怒，秋以為期。

賦也。氓，民也。蓋男子而不知其誰何之稱也。蚩蚩，無知之貌。蓋怨而鄙之也。布，幣。貿，買也。貿絲，蓋初夏之時也。頓丘，地名。愆，過也。將，願也，請也。○此淫婦為人所棄，而自敘其事以道其悔恨之意也。夫既與之謀而不遂往，又責所無以難其事，再為之約以堅其志，此其計亦狡矣。以御蚩蚩之氓，宜其有餘而不免於見棄。蓋一失其身，人所賤惡，始雖以欲而迷，後必以時而悟，是以無往而不困耳。士君子立身一敗，而萬事瓦裂者，何以異此。可不

戒哉

○乘彼垝(俱毀反)垣(音袁)。以望復關(叶圭員反)。不見復關。泣涕漣漣(音連)。既見復關。載笑載言。爾卜爾筮。體無咎言。以爾車來。以我賄(呼罪反)遷。

賦也。垝。毀。垣。墻也。復關。男子之所居也。不敢顯言其人。故託言之耳。龜曰卜。蓍曰筮。體。兆卦之體也。賄。財。遷。徙也。○與之期矣。故及期而乘垝垣以望之。既見之矣。於是問其卜筮所得卦兆之體。若無凶咎之言。則以爾之車來迎。當以我之賄往遷也。

○桑之未落。其葉沃若(音呼下同)。于嗟鳩兮。無食桑葚(音甚叶知林反)。于嗟女兮。無與士耽(叶持林反)。士之耽兮。猶可說也。女之耽兮。不可說也。

比而興也。沃若。潤澤貌。鳩。鶻鳩也。似山雀而小。短尾。青黑色。多聲。葚。桑實也。鳩食葚多則致醉。耽。相樂也。說。解也。○言桑之潤澤。以比己之容色光麗。然又念其不可恃此而從欲忘反。故遂戒鳩無食桑葚。以興下句戒女無與士耽也。士猶可說。而女不可說者。婦人被棄之後。深自愧悔之辭。主言婦人無外事。唯以貞信爲節。一失其正。則餘無足觀爾。不可

便謂士之耽惑實無所妨也

○桑之落矣。其黃而隕。（叶于貧反）自我徂爾。三歲食貧。淇水湯湯。（音傷）漸（子廉反）車帷裳。女也不爽。（叶師莊反）士貳其行。（下孟反叶户郎反）士也罔極。二三其德。

比也。隕。落。徂。往也。湯湯。水盛貌。漸。漬也。帷裳。車飾。亦名童容。婦人之車則有之。爽。差。極。至也。○言桑之黃落。以比己之容色凋謝。遂言自我往之爾家。而值爾之貧。於是見棄。復乘車而度水以歸。復自言其過不在此而在彼也

○三歲爲婦。靡室勞矣。夙興夜寐。靡有朝矣。（叶直豪反）言既遂矣。至于暴矣。兄弟不知。咥（許意反）其笑矣。（叶音燥）靜言思之。躬自悼矣。

賦也。靡。不。夙。早。興。起也。咥。笑貌。○言我三歲爲婦。盡心竭力。不以室家之務爲勞。早起夜卧。無有朝旦之暇。與爾始相謀約之言既遂。而爾遽以暴戾加我。兄弟見我之歸。不知其然。但咥然其笑而已。蓋淫奔從人。不爲兄弟所齒。故其見棄而歸。亦不爲兄弟所恤。理固有必然者。亦何所歸咎哉。但自痛悼而已

○及爾偕老，老使我怨。淇則有岸，叶魚戰反隰則有泮。音畔，叶匹見反總角之宴，言笑晏晏。叶伊佃反信誓旦旦，叶得絹反不思其反。叶孚絢反反是不思，叶新齎反亦已焉哉。叶將黎反

賦而興也。及，與也。泮，涯也。高下之判也。總角，女子未許嫁則未笄，但結髮爲飾也。晏晏，和柔也。旦旦，明也。○言我與汝本期偕老，不知老而見棄如此，徒使我怨也。淇則有岸矣，隰則有泮矣，而我總角之時，與爾宴樂言笑，成此信誓，曾不思其反復以至於此也。此則興也。既不思其反復而至此矣，則亦如之何哉，亦已而已矣。傳曰：思其終也，思其復也。思其反之謂也。〔音釋〕復，芳服反。左傳襄公二十五年，衞大叔文子曰：君子之行，思其終也，思其復也。

氓六章，章十句。

籊籊他歷反竹竿，以釣于淇。豈不爾思，遠莫致之。

賦也。籊籊，長而殺也。竹，衞物。淇，衞地也。○衞女嫁於諸侯，思歸寧而不可得，故作此詩。言思以竹竿釣于淇水，而遠不可至也。〔音釋〕殺，色界反。衰小之也。謂釣竿長而根大，其末漸漸衰小

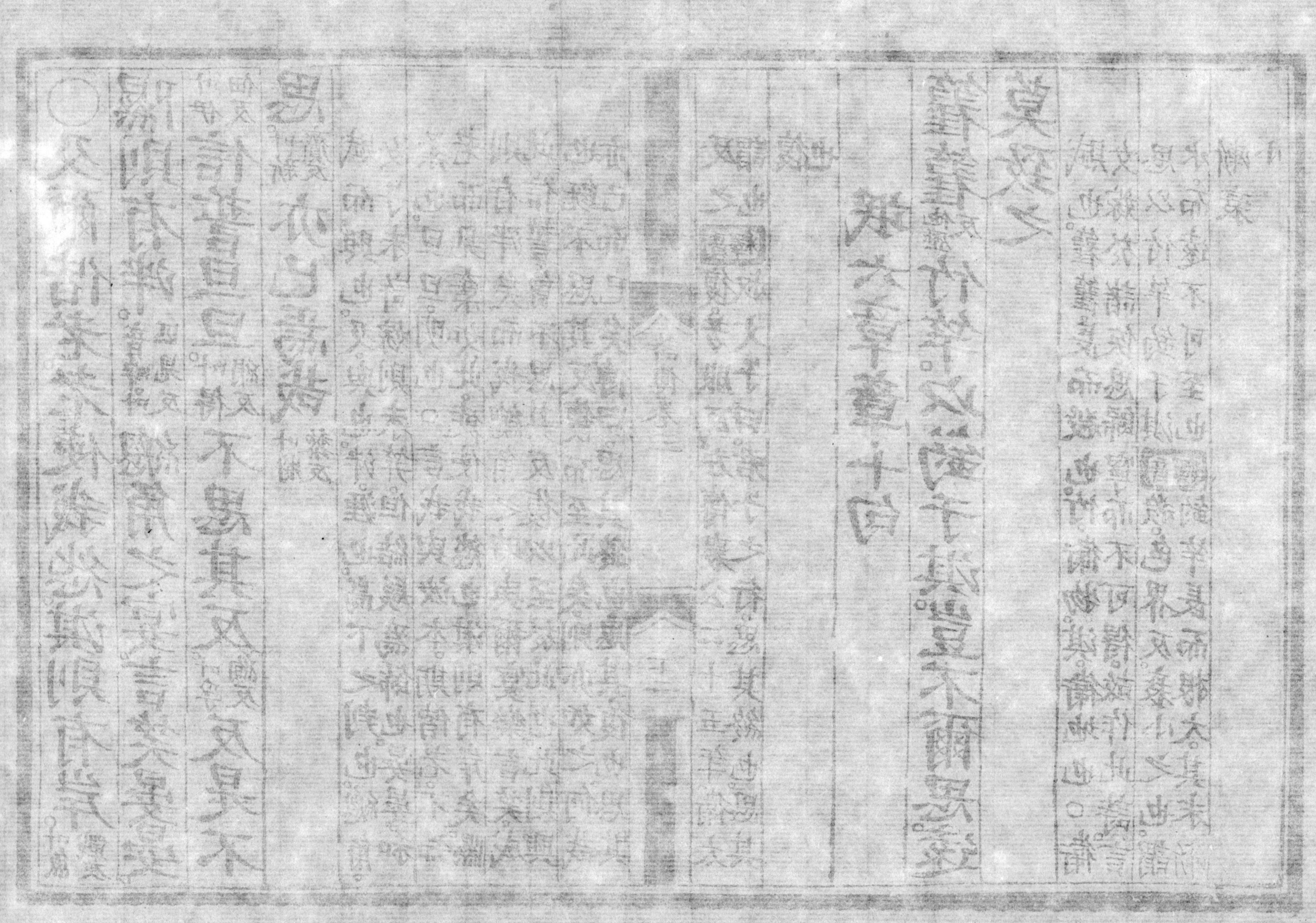

○泉源在左。淇水在右。叶羽軌反女子有行。
遠于萬反父母兄弟。叶滿被反
賦也。泉源。即百泉也。在衛之西北。而東南流入淇。故曰在左。淇在衛之西南。而東流與泉源合。故曰在右。○思二水之在衛。而自歎其不如也

○淇水在右。泉源在左。巧笑之瑳。七可反
佩玉之儺。乃可反
賦也。瑳。鮮白色。笑而見齒。其色瑳然。猶所謂粲然皆笑也。儺。行有度也。○承上章言二水在衛。而自恨其不得笑語遊戲於其間也

○淇水滺滺。音由檜楫松舟。駕言出遊。
以寫我憂
賦也。滺滺。流貌。檜。木名。似柏。楫。所以行舟也。○與泉水之卒章同意

竹竿四章章四句

芄音丸蘭之支。童子佩觿。許規反雖則佩觿。
能不我知。容兮遂兮。垂帶悸其季反兮。
興也。芄蘭。草。一名蘿摩。蔓生。斷之有白汁。可啖。支。枝同。觿。錐也。以象骨為之。所以解結。成人之佩。非童子之飾也。知。猶智也。言其才能不足以知於我也。容遂。舒緩放肆之貌。悸。帶

下垂之貌

○芄蘭之葉。童子佩韘。失涉反雖則佩韘。能不我甲。叶古協反容兮遂兮。垂帶悸兮。

興也。韘，決也。以象骨為之，著右手大指，所以鉤弦闓體。鄭氏曰：沓也。即大射所謂朱極三是也。以朱韋為之，用以彄沓右手食指將指無名指也。甲，長也。言其才能不足以長於我也。

【音釋】闓與開同。朱極三，儀禮大射註：極猶放也，所以韜指利放弦也。以朱韋為之，三者，食指將指無名指也。彄，苦侯反。沓，徒答反，當作託答反，員也。將，子匠反。長，知丈反。

芄蘭二章，章六句

此詩不知所謂，不敢強解。

誰謂河廣。一葦于鬼反杭戶郎反之。誰謂宋遠。跂丘豉反予望叶武方反之。

賦也。葦，蒹葭之屬。杭，度也。衛在河北，宋在河南。○宣姜之女為宋桓公夫人，生襄公而出歸于衛。襄公即位，夫人思之，而義不可往。蓋嗣君承父之重，與祖為體，母出與廟絕，不可以私反。故作此詩，言誰謂河廣乎？但以一葦加之，則可以渡矣。誰謂宋國遠乎？但一跂足而望，則可以見矣。明非宋遠而不可至也，乃義不可而不得往耳。

○誰謂河廣。曾不容刀。誰謂宋遠。曾

不崇朝

賦也小船曰刀不容刀言小也崇終也行不終朝而至言近也（音釋）刀與舠通

河廣二章章四句

范氏曰夫人之不往義也天下豈有無母之人歟有千乘之國而不得養其母則人之不幸也爲襄公者將若之何生則致其孝沒則盡其禮而已衞有婦人之詩自共姜至於襄公之母六人焉皆止於禮義而不敢過也夫以衞之政教淫僻風俗傷敗然而女子乃有知禮而畏義如此者則以先王之化猶有存焉故也

伯兮朅兮（丘列反）邦之桀兮伯也執殳（市朱反）爲（于僞反）王前驅

賦也伯婦人目其夫之字也朅武貌桀才過人也殳長丈二而無刃○婦人以夫久從征役而作是詩言其君子之才之美如是今方執殳而爲王前驅也

○自伯之東首如飛蓬豈無膏沐誰適（都歷反）爲容

賦也蓬草名其華如柳絮聚而飛如亂髮也膏所以澤髮者沐滌首去垢也適主也○言我髮亂如此非無膏沐可以爲容所以不爲者君子行役無所主而爲之故也傳曰女爲

說已容

音釋　說，弋雪反。

○其雨其雨，杲杲（古老反）出日。願言思伯，甘心首疾。

比也。其者，冀其將然之詞。○冀其將雨，而杲然日出，以比望其君子之歸而不歸也。是以不堪憂思之苦，而寧甘心於首疾也。

○焉（於虔反）得諼（況袁反）草，言樹之背（音佩）。願言思伯，使我心痗（呼內反）。

賦也。諼，忘也。諼草，合歡，食之令人忘憂者。背，北堂也。痗，病也。○言焉得忘憂之草，樹之北堂，以忘吾憂乎。然終不忍忘也。是以寧不求此草，而但願言思伯，雖至於心痗而不辭爾。心痗則其病益深，非特首疾而已也。

伯兮四章，章四句

范氏曰：居而相離則思，期而不至則憂。此人之情也。文王之遣戍役，周公之勞歸士，皆敘其室家之情，男女之思以閔之。故其民悅而忘死。聖人能通天下之志，是以能成天下之務。兵者，毒民於死者也。孤人之子，寡人之妻，傷天地之和，召水旱之災。故聖王重之。如不得已而行，則告以歸期，念其勤勞，哀傷慘怛，不啻在己。是以治世之詩，則言其君上閔恤之情；亂世之詩，則錄其室家怨思之

苦。以爲人情不出乎此也。

有狐綏綏，在彼淇梁。心之憂矣，之子無裳。

比也。狐者，妖媚之獸。綏綏，獨行求匹之貌。石絕水曰梁。在梁則可以裳矣。○國亂民散，喪其妃耦。有寡婦見鰥夫而欲嫁之，故託言有狐獨行，而憂其無裳也。

○有狐綏綏，在彼淇厲。心之憂矣，之子無帶。叶丁計反

比也。厲，深水可涉處也。帶，所以申束衣也。在厲則可以帶矣。

○有狐綏綏，在彼淇側。心之憂矣，之子無服。叶蒲北反

比也。濟乎水，則可以服矣。

有狐三章，章四句

投我以木瓜，叶攻乎反報之以瓊琚。音居匪報也，永以爲好也。呼報反

比也。木瓜，楙木也，實如小瓜，酢可食。瓊，玉之美者。琚，佩玉名。○言人有贈我以微物，我當報之以重寶，而猶未足以爲報也，但欲其長以爲好而不忘耳。疑亦男女相贈答之辭，如

靜女之類

○投我以木桃。報之以瓊瑤。匪報也。永以爲好也

比也。瑤美玉也

○投我以木李。報之以瓊玖。音久叶舉里反匪報也。永以爲好也

比也。玖亦玉名也

木瓜三章章四句

衛國十篇三十四章二百三句

張子曰。衛國地濱大河。其地土薄。故其人氣輕浮。其地平下。故其人質柔弱。其地肥饒。不費耕耨。故其人心怠惰。其人情性如此。則其聲音亦淫靡。故聞其樂使人懈慢而有邪僻之心也。鄭詩放此

詩卷之四　　朱熹集傳

王一之六

王，謂周東都洛邑王城畿內方六百里之地，在禹貢豫州大華外方之閒，北得河陽，漸冀州之南也。周室之初，文王居豐，武王居鎬。至成王，周公始營洛邑，爲時會諸侯之所，以其土中，四方來者道里均故也。自是謂豐鎬爲西都，而洛邑爲東都。至幽王嬖褒姒，生伯服，廢申后及太子宜臼。宜臼奔申，申侯怒，與犬戎攻宗周，弒幽王于戲。晉文侯、鄭武公迎宜臼于申而立之，是爲平王。徙居東都

王城。於是王室遂卑，與諸侯無異，故其詩不爲雅而爲風。然其王號未替也，故不曰周而曰王。其地則今河南府及懷孟等州是也。【音釋】華，胡化反。漸，將廉反，入也。戲，許宜反，驪山下地名。東萊先生云：成周乃東都總名，河南，成周之王城也。洛陽，成周之下都也。東遷之後，所謂西周者豐鎬，東周者東都也。威烈王之後，所謂西周者河南，東周者洛陽也。

彼黍離離，彼稷之苗。行邁靡靡，中心搖搖。知我者謂我心憂，不知我者謂我何求。悠悠蒼天，叶鐵因反此何人哉。

賦而興也。黍。穀名。苗似蘆。高丈餘。穗黑色。實圓重。離離。垂貌。稷。亦穀也。一名穄。似黍而小。或曰。粟也。邁。行也。靡靡。猶遲遲也。搖搖。無所定也。悠悠。遠貌。蒼天者。據遠而視之蒼蒼然也。○周既東遷。大夫行役至于宗周。過故宗廟宮室。盡爲禾黍。閔周室之顛覆。徬徨不忍去。故賦其所見黍之離離。與稷之苗。以興行之靡靡。心之搖搖。既歎時人莫識已意。又傷所以致此者果何人哉。追怨之深也。【音釋】徬。步光反。徨。胡光反。穄。音祭

○彼黍離離。彼稷之穗。音遂行邁靡靡。中心如醉。知我者。謂我心憂。不知我者。謂我何求。悠悠蒼天。此何人哉

賦而興也。穗。秀也。稷穗下垂如心之醉。故以起興

○彼黍離離。彼稷之實。行邁靡靡。中心如噎。於結反叶於悉反知我者。謂我心憂。不知我者。謂我何求。悠悠蒼天。此何人哉

賦而興也。噎。憂深不能喘息。如噎之然。稷之實。如心之噎。故以起興

黍離三章。章十句

元城劉氏曰。常人之情。於憂樂之事。初遇之則其心變焉。次遇之則其變少衰。三遇之則其心如常矣。至於君子忠厚之情則不然。其行役往來。固非一見也。

初見稷之苗矣。又見稷之穗矣。又見稷之實矣。而所感之心終始如一。不少變而愈深。此則詩人之意也

君子于役。不知其期。曷至哉。叶將黎反雞棲音西于塒。音時日之夕矣。羊牛下來。叶陵之反君子于役。如之何勿思。叶新齎反

賦也。君子。婦人目其夫之辭。鑿墻而棲曰塒。日夕。則羊先歸而牛次之。○大夫久役于外。其室家思而賦之曰。君子行役。不知其反還之期。且今亦何所至哉。雞則棲于塒矣。日則夕矣。羊牛則下來矣。是則畜產出入。尚有旦暮之節。而行役之君子乃無休息之時。使我

如何而不思也哉。音釋 畜許六反

○君子于役。不日不月。曷其有佸。戶括反叶戶劣反雞棲于桀。日之夕矣。羊牛下括。古活反叶古劣反君子于役。苟無飢渴。叶巨列反

賦也。佸。會。桀。杙。括。至。苟。且也。○君子行役之久。不可計以日月。而又不知其何時可以來會也。亦庶幾其免於飢渴而已矣。此憂之深而思之切也。音釋 杙以即反

君子于役二章。章八句

君子陽陽。左執簧。音黃右招我由房。其

樂（音洛）只（音止）且（子餘反）

賦也。陽陽，得志之貌。簧，笙竽管中金葉也。蓋笙竽皆以竹管植於匏中，而竅其管底之側，以薄金葉障之，吹則鼓之而出聲，所謂簧也。故笙竽皆謂之簧。笙十三簧，或十九簧。竽十六簧也。由，從也。房，東房也。只且，語助辭。○此詩疑亦前篇婦人所作。蓋其夫既歸，不以行役爲勞，而安於貧賤以自樂，其家人又識其意而深歎美之，皆可謂賢矣。豈非先王之澤哉。或曰：序說亦通。宜更詳之。

○君子陶陶，左執翿（徒刀反），右招我由敖（五刀反）。其樂只且。

賦也。陶陶，和樂之貌。翿，舞者所持羽旄之屬。敖，舞位也。【音釋】陶，釋文音遙。毛義與傳同。

君子陽陽二章，章四句。

揚之水，不流束薪。彼其（音記）之子，不與我戍申。懷（叶胡威反）哉懷哉，曷月予還（音旋）歸哉。

興也。揚，悠揚也，水緩流之貌。彼其之子，戍人指其室家而言也。戍，屯兵以守也。申，姜姓之國，平王之母家也，在今鄧州信陽軍之境。懷，思。曷，何也。○平王以申國近楚，數被侵伐，故遣畿內之民戍之，而戍者怨思作此詩也。興取之不二字，如小星之例。【音釋】屯，徒門反。

數色角反

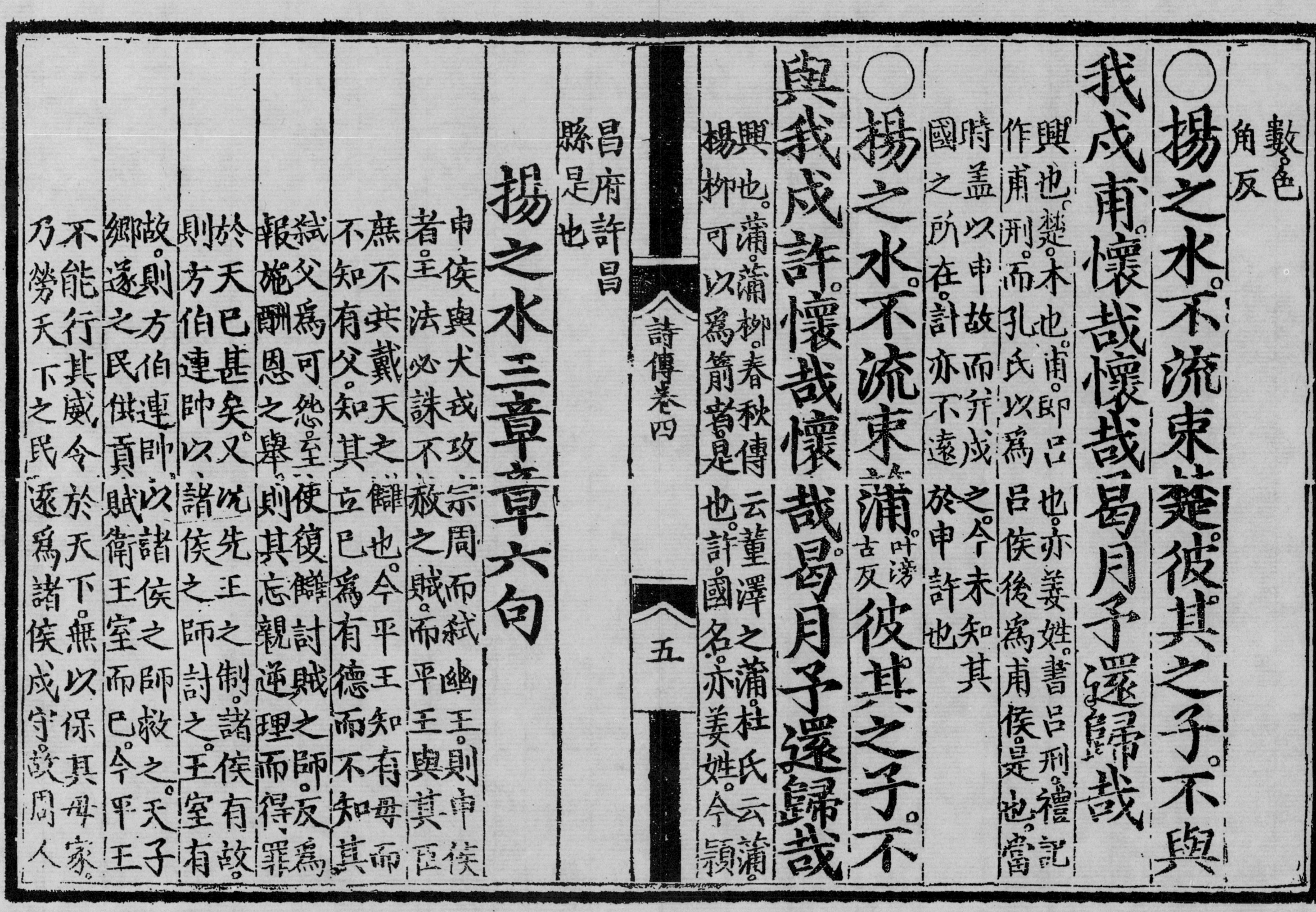

○揚之水。不流束楚。彼其之子。不與我戍甫。懷哉懷哉。曷月予還歸哉

興也。楚。木也。甫。即呂也。亦姜姓。書呂刑。禮記作甫刑。而孔氏以爲呂侯後爲甫侯是也。當時蓋以申故而并戍之。今未知其國之所在。計亦不遠於申許也

○揚之水。不流束蒲。叶滂古反彼其之子。不與我戍許。懷哉懷哉。曷月予還歸哉

興也。蒲。蒲柳。春秋傳云董澤之蒲。杜氏云蒲楊柳。可以爲箭者是也。許。國名。亦姜姓。今潁昌府許昌縣是也

揚之水三章章六句

申侯與犬戎攻宗周而弑幽王。則申侯者。王法必誅不赦之賊。而平王與其臣庶不共戴天之讎也。今平王知有母而不知有父。知其立已爲有德而不知其弑父爲可怨。至使復讎討賊之師。反爲報施酬恩之舉。則其忘親逆理而得罪於天已甚矣。又況先王之制。諸侯有故。則方伯連帥以諸侯之師討之。王室有故。則方伯連帥以諸侯之師救之。天子鄉遂之民供貢賦衛王室而已。今平王不能行其威令於天下。無以保其母家。乃勞天下之民遠爲諸侯戍守。故周人

之戌申者又以非其職而怨思焉則其衰懦微弱而得罪於民又可見矣嗚呼
詩亡而後春秋作其不以此也哉【音釋】施式豉反

中谷有蓷吐雷反暵呼但反其乾矣有女仳匹指反離嘅口愛反其嘆土丹反矣嘅其嘆矣遇人之艱難矣

興也蓷鵻也葉似萑方莖白華華生節間即今益母草也暵燥仳別也嘅歎聲艱難窮厄也○凶年饑饉室家相棄婦人覽物起興而自述其悲歎之詞也【音釋】鵻萑並朱惟反
爾雅萑蓋草本名萑又名蓷毛氏以鵻字代萑字故傳從之葉似萑爾雅註及詩疏皆作葉似萑今傳中萑字誤蓋鵻即萑不可謂之似萑也疏臭穢草茺蔚也

○中谷有蓷暵其脩叶式竹反矣有女仳離條其歗叶息六反矣條其歗矣遇人之不淑矣

興也脩長也或曰乾也如脯之謂脩也條條然歗貌歗蹙口出聲也悲恨之深不止於嘆矣淑善也古者謂死喪饑饉皆曰不淑蓋以吉慶爲善事凶禍爲不善事雖今人語猶然也○曾氏曰凶年而遽相棄背蓋衰薄之甚者而詩人乃曰遇斯人之艱難遇斯人之不淑而無怨懟過甚之詞焉厚之至也

○中谷有蓷，暵其濕矣。有女仳離，啜張劣反其泣矣。啜其泣矣，何嗟及矣。

興也。暵濕者，旱甚則草之生於濕者亦不免也。啜，泣貌。何嗟及，言事已至此，末如之何，窮之甚也。

中谷有蓷三章，章六句。

范氏曰：世治則室家相保者，上之所養也。世亂則室家相棄者，上之所殘也。其使之也勤，其取之也厚，則夫婦日以衰薄，而凶年不免於離散矣。伊尹曰：匹夫匹婦不獲自盡，民主罔與成厥功。故讀詩者於一物失所，而知王政之惡。一女見棄，而知人民之困。周之政荒民散而將無以爲國，於此亦可見矣。

有兔爰爰，雉離于羅。我生之初，尚無爲。叶吾禾反我生之後，逢此百罹。叶良何反尚寐無吪。

比也。兔性陰狡。爰爰，緩意。雉性耿介。離，麗。羅，網。尚，猶。罹，憂也。尚，庶幾也。吪，動也。○周室衰微，諸侯背叛，君子不樂其生，而作此詩。言張羅本以取兔，今兔以狡得脫，而雉以耿介反離于羅。以比小人致亂，而以巧計幸免；君子無辜，而以忠直受禍也。爲此詩者，蓋猶及見西周之盛，故曰方我生之初，天下尚無事；及我生之後，而逢時之多難如此。然既無如之何，

則但庶幾寐而不動以死耳。或曰興也。以兔爰興無爲。以雉離興百罹也。下章放此

音釋

難奴案反

○有兔爰爰雉離于罦 音孚叶步廟反 我生之初。尚無造。我生之後。逢此百憂 叶一笑反 尚寐無覺 居孝反叶居笑反

比也。罦。覆車也。可以掩兔。造。亦爲也。覺。寤也

○有兔爰爰雉離于罿 音衝 我生之初。尚無庸。我生之後。逢此百凶。尚寐無聰

比也。罿。罬也。卽罦也。或曰。施羅於車上也。庸。用也。聰。聞也。無所聞。則亦死耳

音釋

罬 張劣反

兔爰三章。章七句

緜緜葛藟 力軌反 在河之滸。呼五反 終遠 于願反 兄弟。謂他人父 夫矩反 謂他人父。亦莫我顧 叶果五反

興也。緜緜。長而不絶之貌。岸上曰滸。○世衰民散。有去其鄉里家族而流離失所者。作此詩以自歎。言緜緜葛藟。則在河之滸矣。今乃終遠兄弟。而謂他人爲己父。已雖謂彼爲父

而彼亦不我顧則其窮也甚矣

○緜緜葛藟在河之涘音俟叶矣始二音終遠兄弟謂他人母叶滿彼反謂他人母亦莫我有叶羽巳反

興也水涯曰涘謂他人父者其妻則母也有識有也春秋傳曰不有寡君

○緜緜葛藟在河之漘順春反終遠兄弟謂他人昆叶古匀反謂他人昆亦莫我聞叶微匀反

興也夷上洒下曰漘漘之為言脣也昆兄也聞相聞也

音釋

洒蘇典反爾雅疏夷上平上洒下隋下愚謂洒猶洗也岸上面平夷而其下為水洗蕩齧入若脣也

葛藟三章章六句

彼采葛兮叶居謁反一日不見如三月兮

賦也采葛所以為絺綌蓋淫奔者託以行故因以指其人而言思念之深未久而似久也

○彼采蕭叶疏鳩反兮一日不見如三秋兮

賦也蕭荻也白葉莖麄科生有香氣祭則焫以報氣故采之曰三秋則不止三月矣

音釋

焫如劣反

○彼采艾兮。一日不見。如三歲兮。（本與艾叶）

賦也。艾。蒿屬。乾之可灸。故采之。曰三歲則不止三秋矣。

音釋 灸。紀有反

采葛三章章三句

大車檻檻。毳衣（尺銳反）如菼（吐敢反）。豈不爾思。畏子不敢。

賦也。大車。大夫車。檻檻。車行聲也。毳衣。天子大夫之服。菼。蘆之始生也。毳衣之屬。衣繪而裳繡。五色皆備。其青者如菼。爾。淫奔者相命之詞也。子。大夫也。不敢。不敢奔也。○周衰大夫猶有能以刑政治其私邑者。故淫奔者畏而歌之如此。然其去二南之化則遠矣。此可以觀世變也。

○大車哼哼（他敦反）。毳衣如璊（音門）。豈不爾思。畏子不奔。

賦也。哼哼。重遲之貌。璊。玉赤色。五色備則有赤。

○穀則異室。死則同穴（戶橘反）。謂予不信。有如皦（古了反）日。

賦也。穀。生。穴。壙。皦。白也。○民之欲相奔者畏其大夫。自以終身不得如其志也。故曰生不得相奔以同室。庶幾死得合葬以同穴而已。謂予不信。有如皦日。約誓之辭也。

大車三章章四句

丘中有麻。彼留子嗟。彼留子嗟。將叶七羊反其來施施叶時遮反

賦也。麻。穀名。子可食。皮可績爲布者。子嗟。男子之字也。將。願也。施施。喜悅之意。○婦人望其所與私者而不來。故疑丘中有麻之處。復有與之私而留之者。今安得其施施然而來乎

○丘中有麥。彼留子國。彼留子國。將其來食

賦也。子國。亦男子字也。來食。就我而食也

○丘中有李。彼留之子。叶奬里反彼留之子。貽我佩玖叶舉里反

賦也。之子。幷指前二人也。貽我佩玖。冀其有以贈已也

丘中有麻三章章四句

王國十篇二十八章百六十二句

鄭一之七

鄭邑名。本在西都畿内咸林之地。宣王以封其弟友爲采地。後爲幽王司徒而死於犬戎之難。是爲桓公。其子武公掘突定平王於東都。亦爲司徒。又得虢檜之地。乃徙其封而施舊號於新邑。是爲新鄭。咸林在今華州鄭縣。新鄭即今之鄭州是也。其封域山川詳見檜風。

緇衣之宜兮。敝予又改爲兮。適子之館叶古玩反兮。還予授子之粲兮。

賦也。緇。黑色。緇衣。卿大夫居私朝之服也。宜。稱。改。更。適。之。館。舍。粲。餐也。或曰。粲。粟之精鑿者。○舊說鄭桓公武公相繼爲周司徒。善於其職。周人愛之。故作是詩。言子之服緇衣也甚宜。敝則我將爲子更爲之。且將適子之館。既還而又授子以粲。言好之無已也。

音釋

朝。直遥反。稱。昌孕反。更。古恒反。餐。蘇尊反。鑿。即各反。粟一石得米六斗爲糲。糲米一石舂得八斗爲鑿。

○緇衣之好兮。敝予又改造叶在早反兮。適子之館兮。還予授子之粲兮。

賦也。好。猶宜也。

○緇衣之蓆叶祥籥反兮。敝予又改作兮。適子之館兮。還予授子之粲兮。

賦也。蓆，大也。程子曰：蓆有安舒之義。服稱其德，則安舒也。

緇衣三章，章四句。

記曰：好賢如緇衣。又曰：於緇衣見好賢之至。

將（七羊反）仲子兮，無踰我里，無折（之舌反）我樹杞。豈敢愛之，畏我父母（叶滿彼反）。仲可懷（叶胡威反）也，父母之言，亦可畏（叶於非反）也。

賦也。將，請也。仲子，男子之字也。我，女子自我也。里，二十五家所居也。杞，柳屬也，生水旁，樹如柳，葉麤而白色，理微赤，蓋里之地域溝樹也。○莆田鄭氏曰：此淫奔者之辭。

○將仲子兮，無踰我牆，無折我樹桑。豈敢愛之，畏我諸兄（叶虛陽反）。仲可懷也，諸兄之言，亦可畏也。

賦也。牆，垣也。古者樹牆下以桑。

○將仲子兮，無踰我園，無折我樹檀（叶徒沿反）。豈敢愛之，畏人之多言。仲可懷也，人之多言，亦可畏也。

賦也。園者，圃之藩，其內可種木也。檀，皮青，滑澤，材彊韌，可為車。【音釋】韌，音刃。此詩詞氣頻

野有死麕之卒章。然有畏父母兄弟國人之言。猶爲善於彼也。此可見理義根於人心。有終不可泯者。身之陷於淫邪。不能禁其欲也。有畏人之意。良心之存也。倘上之教化行而下之風俗厚。若此婦人豈不能脩飭而以貞信自守邪。然則小民心術之微。皆上之人有以興畏之耳

將仲子三章章八句

叔于田。叶地因反巷無居人。豈無居人。不如叔也。洵美且仁。

賦也。叔。莊公弟共叔段也。事見春秋。田。取禽也。巷。里塗也。洵。信。美。好也。仁。愛人也。○段不義而得衆。國人愛之。故作此詩。言叔出而田。則所居之巷若無居人矣。非實無居人也。雖有。而不如叔之美且仁。是以若無人耳。或疑此亦民間男女相悅之詞也。

○叔于狩。叶始九反巷無飲酒。豈無飲酒。不如叔也。洵美且好。叶許厚反

賦也。冬獵曰狩。

○叔適野。叶上與反巷無服馬。叶滿補反豈無服馬。不如叔也。洵美且武。

賦也。適。之也。郊外曰野。服。乘也。

叔于田三章章五句

叔于田，乘乘（繩證反叶實證反）馬（叶滿補反）。執轡如組（音祖）。兩驂如舞。叔在藪（素口反叶素苦反），火烈具舉。襢（音但）裼（素歷反）暴虎，獻于公所。將（七羊反）叔無狃（女九反叶女吉反），戒其傷女（音汝）。

賦也。叔，亦段也。車衡外兩馬曰驂。如舞，謂諧和中節，皆言御之善也。藪，澤也。火，焚而射也。烈，熾盛貌。具，俱也。襢裼，肉袒也。暴，空手搏獸也。公，莊公也。狃，習也。國人戒之曰：請叔無習此事，恐其或傷汝也。蓋叔多材好勇，而鄭人愛之如此。

○叔于田，乘乘黃。兩服上襄，兩驂鴈行（户郎反）。叔在藪，火烈具揚。叔善射忌（音記），又良御（叶魚駕反）忌。抑磬（苦定反）控（口貢反）忌，抑縱送忌。

賦也。乘黃，四馬皆黃也。衡下夾轅兩馬曰服。襄，駕也。馬之上者為上駕，猶言上駟也。鴈行者，驂少次服後，如鴈行也。揚，起也。忌、抑，皆語助辭。騁馬曰磬，止馬曰控。舍拔曰縱，覆彇曰送。

【音釋】舍，音捨。拔，音跋。括也。矢衛弦處。覆，芳福反。倒也。彇，弓弰也。弰，師交反。

○叔于田，乘乘鴇（音保叶補苟反）。兩服齊首，兩

驂如手。叔在藪，火烈具阜。（叶符有反）叔馬慢（叶莫半反）忌，叔發罕（叶虛旰反）忌。抑釋掤（音冰）忌，抑鬯（叶敕亮反）弓（叶姑弘反）忌。

賦也。驪白雜毛曰鴇，今所謂烏驄也。齊首，如手，兩服並首在前，而兩驂在旁，稍次其後，如人之兩手也。阜，盛。慢，遲也。發，發矢也。罕，希。釋，解也。掤，矢筩蓋。春秋傳作冰。鬯，弓囊也。與韔同。言其田事將畢，而從容整暇如此，亦喜其無傷之詞也。【音釋】筩，音同

大叔于田三章章十句

陸氏曰：首章作大叔于田者誤。蘇氏曰：二詩皆曰叔于田，故加大以別之。不知者乃以段有大叔之號而讀曰泰，又加大于首章，失之矣。【音釋】大叔之大，音太

清人在彭，（叶普郎反）駟介旁旁。（補彭反，叶補岡反）二矛重（直龍反）英，（叶於良反）河上乎翱翔。

賦也。清，邑名。清人，清邑之人也。彭，河上地名。駟介，四馬而被甲也。旁旁，馳驅不息之貌。二矛，酋矛、夷矛也。英，以朱羽為矛飾也。酋矛長二丈，夷矛長二丈四尺，並建於車上，則其英重疊而見。翱翔，遊戲之貌。○鄭文公惡高克，使將清邑之兵禦狄于河上，久而不召，師散而歸。鄭人為之賦此詩，言其師出之久，無事而不歸，但相與遊戲如此，其勢必至於潰散而後已爾。

○清人在消。駟介麃麃。叶表驕反二矛重喬。河上乎逍遥。

賦也。消亦河上地名。麃麃武貌。矛之上句曰喬。所以懸英也。英弊而盡。所存者喬而已

音釋 句古侯反

○清人在軸。叶音胄駟介陶陶。叶徒侯反左旋右抽。叶敕救反中軍作好。叶許候反

賦也。軸亦河上地名。陶陶樂而自適之貌。左謂御在將車之左。執轡而御馬者也。旋還車也。右謂勇力之士在將車之右。執兵以擊刺者也。抽拔刃也。中軍謂將在鼓下居車之中。

即高克也。好謂容好也。○東萊呂氏曰。言師久而不歸。無所聊賴。姑遊戲以自樂。必潰之勢也。不言已潰而言將潰。其詞深。其情危矣

清人三章章四句

事見春秋。○胡氏曰。人君擅一國之名寵生殺予奪。惟我所制耳。使高克不臣之罪已著。按而誅之可也。情狀未明。黜而退之可也。愛惜其才。以禮馭之亦可也。烏可假以兵權。委諸竟上。坐視其離散而莫之卹乎。春秋書曰。鄭棄其師。其責之深矣

羔裘如濡。叶而朱而由二反洵直且侯。叶洪姑洪鉤二反彼其

音記

之子舍音赦命不渝叶容朱、容周二反

賦也。羔裘，大夫服也。如，濡，潤澤也。洵，信。直，順。侯，美也。其，語助辭。舍，處。渝，變也。○言此羔裘潤澤毛順而美，彼服此者當生死之際又能以身居其所受之理而不可奪，蓋美其大夫之詞。然不知其所指矣。

○羔裘豹飾，孔武有力。彼其之子，邦之司直。

賦也。飾，緣袖也。禮，君用純物，臣下之。故羔裘而以豹皮為飾也。孔，甚也。豹甚武而有力，故服其所飾之裘者如之。司，主也。

○羔裘晏兮，三英粲兮。彼其之子，邦之彥叶魚旰反兮。

賦也。晏，鮮盛也。三英，裘飾也。未詳其制。粲，光明也。彥，士之美稱。

音釋　鮮，相然反。

羔裘三章，章四句

遵大路兮，摻所覽反執子之祛叶起據反兮。無我惡烏路反兮，不寁市坎反故也。

賦也。遵，循。摻，擥。祛，袂。寁，速。故，舊也。○淫婦為人所棄，故於其去也，擥其祛而留之曰：子無惡我而不留，故舊不可以遽絕也。宋玉賦有遵大路兮攬子祛之句，亦男女相說之詞也。

【音釋】惡，烏路反。說，音悅。

○遵大路兮，摻執子之手兮。無我魗（市由反，叶齒九反）兮，不寁好（叶許口反）也。

賦也。魗與醜同。欲其不以已爲醜而棄之也。好，情好也。【音釋】好，呼報反。

遵大路二章，章四句。

女曰雞鳴，士曰昧旦。子興視夜，明星有爛。將翱將翔，弋鳧（音符）與鴈。

賦也。昧，晦。旦，明也。昧旦，天欲旦，昧晦未辨之際也。明星，啓明之星，先日而出者也。弋，繳射，謂以生絲繫矢而射也。鳧，水鳥，如鴨，青色，背上有文。○此詩人述賢夫婦相警戒之詞。言女曰雞鳴，以警其夫，而士曰昧旦，則不止於雞鳴矣。婦人又語其夫曰：若是，則子可以起而視夜之如何，意者明星已出而爛然，則當翱翔而往，弋取鳧鴈而歸矣。其相與警戒之言如此，則不留於宴昵之私可知矣。【音釋】繳，章畧反。射，音亦。

○弋言加（叶居之居何二反）之，與子宜（叶魚奇魚何二反）之。宜言飲酒，與子偕老（叶呂吼反）。琴瑟在御，莫不靜好（叶許厚反）。

賦也。加，中也。史記所謂以弱弓微繳加諸鳧鴈之上，是也。宜，和其所宜也。內則所謂鴈宜

豢之屬。是也。○射者男子之事。而中饋婦人之職。故婦謂其夫既得鳧鴈以歸。則我當爲子和其滋味之所宜。以之飲酒相樂。期於偕老。而琴瑟之在御者亦莫不安靜而和好。其和樂而不淫可見矣

○知子之來叶六直反之。雜佩以贈叶音則之。知子之順之。雜佩以問之。知子之好呼報反之。雜佩以報之

賦也。來之。致其來者。如所謂脩文德以來之。雜佩者。左右佩玉也。上橫曰珩。下繫三組貫以蠙珠。中組之半貫一大珠曰瑀。末懸一玉兩端皆銳曰衝牙。兩旁組半各懸一玉長博而方曰琚。其末各懸一玉如半璧而內向曰璜。又以兩組貫珠。上繫珩兩端。下交貫於瑀而下繫於兩璜。行則衝牙觸璜而有聲也。呂氏曰。非獨玉也。觿燧箴管。凡可佩者皆是也。贈。送。順。愛。問。遺也。○婦又語其夫曰。我苟知子之所致而來及所親愛者。則當解此雜佩以送遺報答之。蓋不惟治其門內之職。又欲其君子親賢友善結其驩心。而無所愛於服飾之玩也。

音釋 珩瑀琚璜。音行禹居黃。蠙。部田反。遺。于醉反

女曰雞鳴三章章六句

有女同車。顏如舜華。叶芳無反將翱將翔。佩玉瓊琚。彼美孟姜。洵美且都

賦也。舜，木槿也。樹如李，其華朝生暮落。孟，字。姜，姓。洵，信。都，閑雅也。○此疑亦淫奔之詩。言所與同車之女，其美如此，而又歎之曰：彼美色之孟姜，信美矣，而又都也。

○有女同行，叶户郎反顏如舜英。叶於良反將翺將翔，佩玉將將。七羊反彼美孟姜，德音不忘。

賦也。英，猶華也。將將，聲也。德音不忘，言其賢也。

有女同車二章，章六句

山有扶蘇，隰有荷華。叶芳無反不見子都，乃見狂且。子餘反

興也。扶蘇，扶胥，小木也。荷華，芙蕖也。子都，男子之美者也。狂，狂人也。且，語辭也。○淫女戲其所私者曰：山則有扶蘇矣，隰則有荷華矣。今乃不見子都，而見此狂人何哉？

○山有橋松，隰有游龍。不見子充，乃見狡童。

興也。上竦無枝曰橋，亦作喬。游，枝葉放縱也。龍，紅草也，一名馬蓼，葉大而色白，生水澤中，高丈餘。子充，猶子都也。狡童，狡獪之小兒也。

音釋 獪，古外反

山有扶蘇二章，章四句

蘀他落反兮蘀兮，風其吹女。音汝叔兮伯兮，

倡（昌亮反）予和（胡卧反，叶户圭反）女

興也。蘀，木槁而將落者也。女，指蘀而言也。叔伯，男子之字也。予，女子自予也。女，叔伯也。○此淫女之詞。言蘀兮蘀兮，則風將吹女矣。叔兮伯兮，則盍倡予，而予將和女矣。

○蘀兮蘀兮，風其漂（匹遥反）女。叔兮伯兮，倡予要（於遥反）女。

興也。漂，飄同。要，成也。

蘀兮二章，章四句。

彼狡童兮，不與我言兮。維子之故，使我不能餐（七丹反，叶七宣反）兮。

賦也。此亦淫女見絶而戲其人之詞。言悅己者衆，子雖見絶，未至於使我不能餐也。

○彼狡童兮，不與我食兮。維子之故，使我不能息兮。

賦也。息，安也。

狡童二章，章四句。

子惠思我，褰裳涉溱（側反）。子不我思，豈無他人。狂童之狂也且（子餘反）。

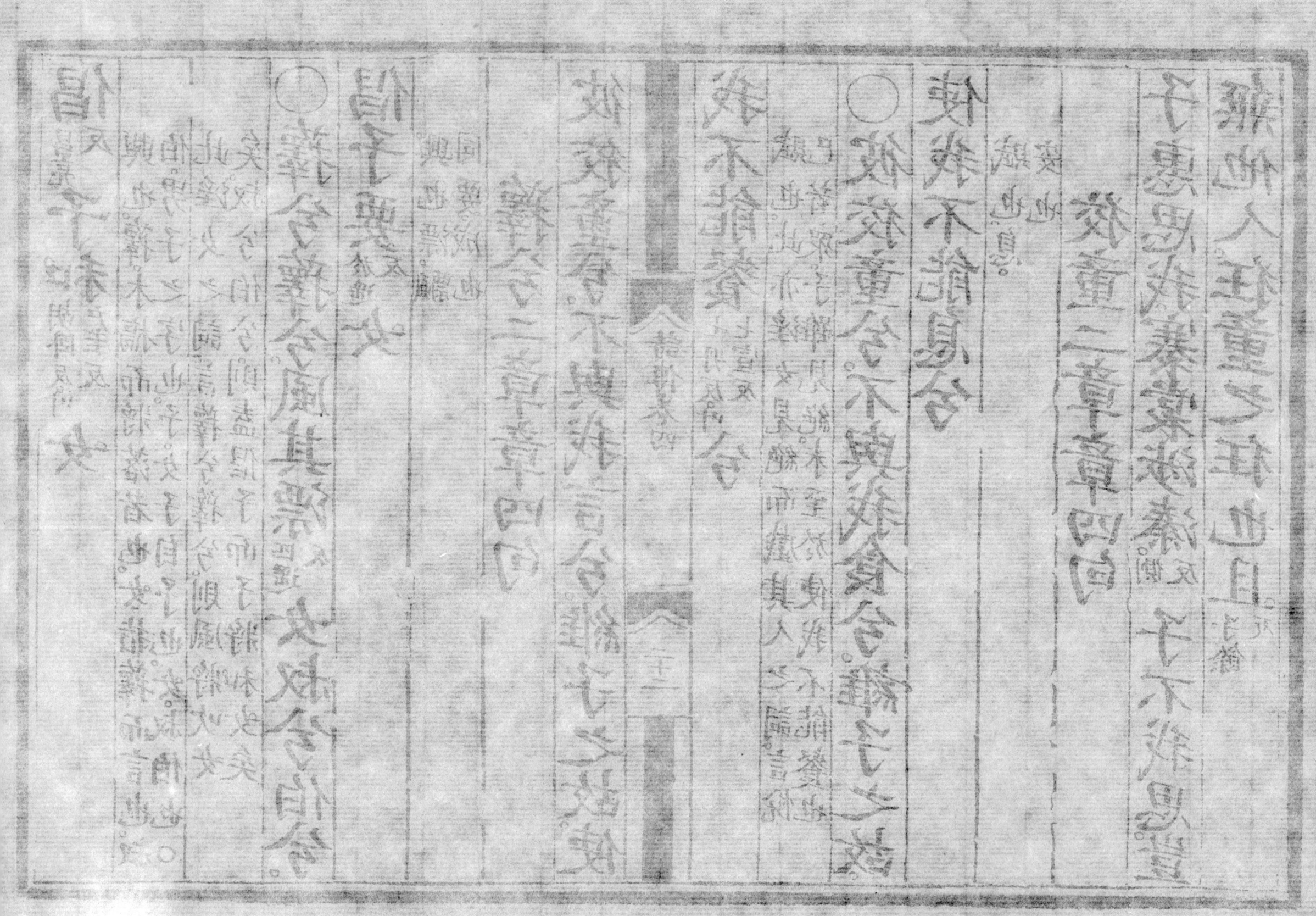

賦也。惠，愛也。溱，鄭水名。狂童，猶狂且、狡童也。且，語辭也。○淫女語其所私者曰：子惠然而思我，則將褰裳而涉溱以從子。子不我思，則豈無他人之可從，而必於子哉？狂童之狂也且，亦謔之之辭。

○子惠思我，褰裳涉洧。叶于已反 子不我思，豈無他士。鉏里反 狂童之狂也且。

賦也。洧，亦鄭水名。士，未娶者之稱。〔音釋〕洧，于軌反

褰裳二章，章五句。

子之丰芳容反，叶芳用反兮，俟我乎巷叶胡貢反兮，悔予不送兮。

賦也。丰，豐滿也。巷，門外也。○婦人所期之男子已俟乎巷，而婦人以有異志不從，既則悔之，而作是詩也。

○子之昌兮，俟我乎堂兮，悔予不將兮。

賦也。昌，盛壯貌。將，亦送也。

○衣於既反錦褧苦迥反衣，裳錦褧裳。叔兮伯兮，駕予與行。叶戶郎反

賦也。褧，禪也。叔伯，或人之字也。○婦人既悔其始之不送而失此人也，則曰我之服飾既盛備矣，豈無駕車以迎我而偕行者乎？

○裳錦褧裳，衣錦褧衣。叔兮伯兮，駕予與歸。

賦也。婦人謂嫁曰歸。

丰四章，二章章三句，二章章四句。

東門之墠，音善，叶上演反。茹音如藘力於反在阪。音反，叶孚臠反。其室則邇，其人甚遠。

賦也。東門，城東門也。墠，除地町町者。茹藘，茅蒐也，一名茜，可以染絳。陂者曰阪。門之旁有墠，墠之外有阪，阪之上有草，識其所與淫者之居也。室邇人遠者，思之而未得見之詞也。

音釋 町，他鼎反。蒐，所留反。茜，倉甸反。陂，音坡。陂陀，不平之貌。識，音志。

○東門之栗，有踐家室。豈不爾思？子不我即。

賦也。踐，行列貌。門之旁有栗，栗之下有成行列之家室，亦識其處也。即，就也。

音釋 行，戶郎反。識，音志。

東門之墠二章章四句

風雨淒淒（七西反）雞鳴喈喈（音皆叶居奚反）既見君子。云胡不夷

賦也。淒淒。寒涼之氣。喈喈。雞鳴之聲。風雨晦冥。蓋淫奔之時。君子。指所期之男子也。夷。平也。○淫奔之女言當此之時。見其所期之人而心悅也

○風雨瀟瀟。雞鳴膠膠。（叶音驕）既見君子。云胡不瘳（叶憐蕭反）

賦也。瀟瀟。風雨之聲。膠膠。猶喈喈也。瘳。病愈也。言積思之病至此而愈也

○風雨如晦。（叶呼有反）雞鳴不已。既見君子。云胡不喜

賦也。晦。昏。已。止也

風雨三章章四句

青青子衿。（音金）悠悠我心。縱我不往。子寧不嗣音

賦也。青青。純緣之色。具父母衣純以青。子。男子也。衿。領也。悠悠。思之長也。我。女子自我也。嗣音。繼續其聲聞也。此亦淫奔之詩

【音釋】純。至尹反。緣。于絹反

○青青子佩叶蒲眉反悠悠我思叶新齎反縱我不往子寧不來叶陵之反

賦也青青組綬之色佩佩玉也

○挑他刀反兮達他末反叶他悅反兮在城闕兮一日不見如三月兮

賦也挑輕儇跳躍之貌達放恣也

音釋 儇許緣反

子衿三章章四句

揚之水不流束楚終鮮息淺反兄弟維予與女汝同無信人之言人實迋居望反女

興也兄弟婚姻之稱禮所謂不得嗣爲兄弟是也予女男女自相謂也人他人也迋與誑同○淫者相謂言揚之水則不流束楚矣終鮮兄弟則維予與女矣豈可以他人離間之言而疑之哉彼人之言特誑女耳

○揚之水不流束薪終鮮兄弟維予二人無信人之言人實不信叶斯人反

興也

揚之水二章章六句

出其東門。有女如雲。雖則如雲。匪我思存。縞(古老反)衣綦(巨基反)巾。聊樂(音洛)我員(于云反)

賦也。如雲。美且衆也。縞。白色。綦。蒼艾色。縞衣綦巾。女服之貧陋者。此人自目其室家也。員與云同。語辭也。○人見淫奔之女而作此詩。以爲此女雖美且衆。而非我思之所存。不如己之室家雖貧且陋。而聊可以自樂也。是時淫風大行。而其間乃有如此之人。亦可謂能自好而不爲習俗所移矣。羞惡之心。人皆有之。豈不信哉

○出其闉(音因)闍(音都)。有女如荼(音徒)。雖則如荼。匪我思且(子餘反)。縞衣茹藘。聊可與娛

賦也。闉。曲城也。闍。城臺也。荼。茅華。輕白可愛者也。且。語助辭。茹藘。可以染絳。故以名衣服之色。娛。樂也

出其東門二章章六句

野有蔓草。零露漙(徒端反。叶上兗反)兮。有美一人。清揚婉兮。邂逅相遇。適我願(叶五遠反)兮

賦而興也。蔓。延也。漙。露多貌。清揚。眉目之間婉然美也。邂逅。不期而會也。○男女相遇於野田草露之間。故賦其所在以起興。言野有蔓草。則零露漙矣。有美一人。則清揚婉矣。邂

逅相遇則得以適我願矣

○野有蔓草零露瀼瀼有美一人婉如清揚邂逅相遇與子偕臧

賦而興也瀼瀼亦露多貌臧美也與子偕臧言各得其所欲也

野有蔓草二章章六句

溱與洧方渙渙（叶于元反）兮士與女方秉蕑（古顏反叶古賢反）兮女曰觀乎士曰既且（子餘反）且往觀乎洧之外洵訏（況于反）且樂（音洛）維士與女伊其相謔贈之以勺藥

賦而興也渙渙春水盛貌蓋冰解而水散之時也蕑蘭也其莖葉似澤蘭廣而長節節中赤高四五尺且語辭洵信訏大也勺藥亦香草也三月開花芳色可愛○鄭國之俗三月上巳之辰采蘭水上以祓除不祥故其女問於士曰盍往觀乎士曰吾既往矣女復要之曰且往觀乎蓋洧水之外其地信寬大而可樂也於是士女相與戲謔且以勺藥爲贈而結恩情之厚也此詩淫奔者自叙之詞

○溱與洧瀏（音留）其清矣士與女殷其盈矣女曰觀乎士曰既且且往觀乎

洧之外。洵訏且樂。維士與女。伊其將謔。贈之以勺藥。

賦而興也。瀏。深貌。殷。衆也。將。當作相。聲之誤也。

溱洧二章章十二句

鄭國二十一篇五十三章二百八十三句

鄭衛之樂。皆爲淫聲。然以詩考之。衛詩三十有九。而淫奔之詩才四之一。鄭詩二十有一。而淫奔之詩已不翅七之五。衛猶爲男悅女之詞。而鄭皆爲女惑男之語。衛人猶多刺譏懲創之意。而鄭人幾於蕩然無復羞愧悔悟之萌。是則鄭聲之淫有甚於衛矣。故夫子論爲邦獨以鄭聲爲戒而不及衛。蓋舉重而言。固自有次第也。詩可以觀。豈不信哉